U0295869

宿州历史文化丛书

宿州地域历史
大事年表

周道斌 / 主编

副主编 / 赵承金

宿州市档案局（馆）
宿州市地方志办公室 / 编

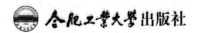
合肥工业大学出版社

凡　例

一、《宿州地域历史大事年表》时间跨度：以远古至中华人民共和国成立（1949）为主，附以宿县地区至宿州市（1999）成立前（从简）。以纪念建置宿州1190周年。

二、《宿州地域历史大事年表》设定地域范围：以1952年宿县专区所辖，前推至民国时期安徽省第四行政督察区、解放战争时期中共第八地委和新四军第四师辖区。其地处淮北平原中东部，即北自徐州、铜山、沛县南界，南至淮河中分；东自古泗水、洪泽湖西岸，西至河南省商丘东界。地理坐标为北纬32°40′~34°40′，东经115°31′~118°4′。其位置在《禹贡》分九州之海、岱及淮惟徐州之域，即夏九夷之东夷，尧封禹为夏伯之邑。淮夷涂山氏国。商之人方、徐国、相之封地。西周春秋宋之附庸宿国之地。战国西楚地，秦属泗水郡。汉属沛郡。后各代分属徐州、泗水、归德、凤阳等诸郡（府），清末、民国至今属安徽省之皖东北，中华人民共和国成立之初为二十个县级组织辖区行政机构、时辖区面积约4万平方公里。本书称宿州地域。①

三、置州前，以所属郡、国、县设及宿地事件录入。置州后涉及属郡、府、省及辖地的事件均录入，并注明其所辖之是，如置州前"垓下之战"地属泗水郡虹县地；陈胜起义"大泽乡"泗水郡蕲县地；埇桥为徐州所辖符离县地等所发生事均收录。置州后所辖各县事件均收录（注明事发所在地）如元代析蕲县南部置怀远县，撤符离、蕲县、临涣三县并入宿州。清析宿州西南十九集置涡阳县；民末安徽省第四行政督察区及中共新四军第四师所辖之行政区划内发生事件收录，非辖时期不收录。

---

① 《安徽通史·民国卷·下》第705页。

四、《宿州地域历史大事年表》对历史文化，以时代史实为依据，以"不争""不虚""不丢"三原则编纂，以"都是中国历史文化"之胸怀，实事求是，秉笔直书收录。以历代行政区划变动所定区域范围为准，在范围内时收录，不属范围内不收录。如:下草湾人，1954 年由安徽考古队杨健钟、贾兰坡在泗洪县南双沟集东南十二里发现距今约一万至四万年更新世人类化石。[1]后 1955 年泗洪县划归江苏省所辖。非江苏省发现，即行政区划变更前理应收录，即"不丢";变更后发生不收录，即"不争"。再如"宋人迁宿"事件，亦不争。又如蚌埠为灵璧、怀远、凤阳三县之交。原属灵璧县地"蚌步"，更如今蚌埠涂山，历史上直至 1983 年割离宿县地区，始终隶属怀远县。此为"不虚"。

五、泗州地界定:主要依据谭其骧的《中国历史地图集》《中国历代行政区划》等书籍记载:远古为东夷之淮夷，地处泗水之南，今皖之东北，夏、商、周为淮夷，人方，徐国(今泗县东北)之地，秦属泗水郡，汉属徐州刺史部，三国至隋属下邳郡，唐至清乾隆四十二年(1777)为州，因沉于洪泽湖底，迁治虹县并为泗州(从唐元和四年起宿州辖地)，至民国元年(1912)州改为县称泗县。在抗战时我、顽、日三方割据行政区制混乱，至民国三十八年(1949)四月恢复泗县建制，属晚北行署宿县地区。其间朝代更替，区划变更数次，历史上始终隶属安徽省皖东北之宿州地域，包括析泗县青阳镇置泗洪县。在割划给江苏省之前所发生事件均收录(包括洪泽湖)，因江苏省历史上无泗州行政区制，仅 1955 年才有泗洪县一镇升县级区制，所以历史上泗州区制理应安徽宿州收录，方志出版社的《洪泽湖志》记载:"1949 年 4 月，江淮第二、第三专署撤销，成立宿县专署，将邳睢、睢宁、泗阳、淮宝县及宿迁市划归华中第六专署。同时撤销泗宿、泗南县，将泗宿、泗南、泗阳县各一部及洪泽湖管理局共 16 个区(局)合并，成立泗洪县，属宿县专区。"对此地域贯以"不争""不虚""不丢"原则。

六、砀、萧二县历史上和宿州地一样同属徐州之域，唐后各代多与宿州北部交叉，明、清至民国后为徐州属县，中华人民共和国成立后 1953 年划归安徽宿州所辖，原则上历史事件为徐州收录的本地不收录，但涉及宿州交叉的历史事件和周边的事件，如水灾、兵事等酌情收录。

---

[1] 《安徽通史·卷一》第 1 页。

七、关于淮北市问题:历史上虽有商代相土记载,后又属萧国地,但中国历史和历代行政区划直至 1977 年无淮北地方建置,其地隋唐后明确记载为宿州地,直至 1977 年,其间事件的收录在括弧内注:"今属淮北市",建置后的不收录。与萧县交叉的注"萧"。

八、永城,自古至今大部分时间属河南省,历史上仅 1949 年 6 月至 1952 年 6 月属宿县专区,其间事件收录,非其间不收录。

九、《宿州地域历史大事年表》资料文献:以《中国历史地图集》《中国历史大事年表》《光绪·安徽通志》《光绪·凤阳府志》,20 世纪 90 年代《安徽省志》《安徽通史》,明代弘治、嘉靖、万历《宿州志》,清代康熙、道光、光绪《宿州志》,20 世纪 90 年代《宿县志》《宿州市志》《宿县地区志》及所辖各县志和周边县志为基础,参考古史、典籍,如《十通》《元和郡县图志》《太平寰宇记》《读史方舆纪要》《天下郡国利病书》《中国通史》《中国历史百科全书》《二十五史》《资治通鉴》《续通鉴》等及历代各史《纪事本末》等正史典籍及考古成果。非史、志、典籍拒不收录,对人物年表适当收录,如职官、名贤、大事件和学术成果等挖掘珍藏,拾遗补阙收录有据,不确凿的慎用。并在收录条后注明出处、页码,以利刊校。古文需要注释的,在当页注释。

十、摘编《宿县地区志》2015 年版《宿州市志》、1991 年版《宿州市志》、1988 年版《宿县县志》中记载的大事记至 1999 年期间的,略有增补。

十一、《宿州地域历史大事年表》以年为单位,采用上海辞书出版社《中国历史大事年表》体例,历史事件以公元纪年为主,括注历史纪年。一年之中,有几条事件平行发展,彼此交叉不严重者,则分别立条叙述。对古地名酌注今地名。对有异说者酌加注释。

周道斌

2014 年 8 月

目　　录

史　前

下草湾古人类化石产地

原安徽省宿县地区泗洪县，在今江苏省泗洪县南——双沟镇东南十二里（原泗县青阳镇双沟集）。1952 年，劈峰山切岭，开下草湾引河、筑下草湾拦河坝。下草湾引河径入洪泽湖。《新汴河志稿》记载：1954 年安徽考古队杨钟健和贾兰坡在下草引河南岸高地上拾得一段人类股骨化石，根据其石化程度和其海绵骨空隙中充的土质以及含氟量的测定，为晚更新世人类化石。1979 年，在 50 年代出土河狸化石的地层上面，发现了更新世晚期的红黄土层，从而为下草湾古人类化石找到了地层根据，其时代距今约一至四万年，定为更新世人类化石。（1955 年泗洪县划归江苏省）①

按：此古人，当为东夷、淮夷（徐国）人的祖先，为黄淮流域原始人类。

西尤旧石器地点

1982 年 2 月，时属宿县地区五河县双忠庙镇西尤窑厂，民工在烧砖取土时发现哺乳动物化石，即报县文管所，10 月省文物考古研究所会同县文物所联合在该地点进行发掘，出土 8 件石制品，暂定为新石器早期文化，淮北北部为石山子文化类型。沿淮淮北为双墩文化类型，其特点接近王油坊（或造律台）类型龙山文化。具较完整的古菱齿象骨架和其他动物化石

---

① 《中国历史地图集》《第一册新石器时代》，中国地图出版社 1982 年版，第 7-8 页；《中国历史地名辞典》，江西教育出版社 1986 年版，第 93 页。

十余种，为安徽省淮河以北迄今发现的唯一旧石器文化遗存。①

宿州地域大汶口文化遗存

1. 埇桥区小山口、古台寺、芦城子遗址。2. 灵璧玉石山遗址。3. 萧县花甲寺遗址。4. 濉溪石山子遗址。5. 淮河北岸原属灵璧，今属蚌埠市双墩遗址。距今 8000 年左右。

宿州小山口发现安徽最早新石器时代遗址。②

距今 4000—5000 年

大汶口文化与龙山文化相继进入沿淮淮北地区，萧县金寨遗址为代表，考古文化面貌上相继属于大汶口、龙山文化。③

---

① 《安徽通史·卷一》，安徽人民出版社 2001 年版，第 30 页；《安徽通史·卷一》第 44 页。
② 《安徽通史·卷一·大事编年》第 524 页。
③ 《安徽通史·卷一·大事编年》第 524 页。

夏

唐尧封禹为夏伯，始邑虹乡（今泗县）。

禹墟在今泗县。①

古涂山氏国（秦为泗水郡蕲县地，今怀远县）②。

《史记·夏本纪》载禹娶"涂山氏女"；禹会诸侯于涂山，执玉帛者万国。禹死后，诸侯拥戴他的儿子启，废除氏族制度，建立夏王朝。促成了中国历史由原始社会进入阶级社会，由野蛮时代进入文明时代。③

夏封伯翳（益）子若木于徐（今皖东北地区，泗县、泗洪一带)④。

---

① 《太平寰宇记·卷一》，中华书局2008年版，第329页，《泗虹合志·卷一》，黄山书社2012年版，第32页；徐学林《安徽建置沿革》，安徽地方志办公室，1990年版，第4页。

② 徐学林《安徽建置沿革》第72页。

③ 《安徽通史·卷一》第151页。

④ 《泗虹合志·卷一》第32页。

商

《诗经·商颂·玄鸟·长发》："相土烈烈，海外有截（戴）。"此为远古时期讴歌宿州地域最早的记载。[1]

前 12 世纪（前 1135 年）

帝乙（太丁之子·纣之父）屡次进攻夷方（人方、尸方，在今山东、江苏一带）。濉河、浍河之间，淮河北岸（北纬 33°~40°）地属人方。[2]

帝乙征人方所经"截"是商代邑名，即今宿州市东北 30 公里夹沟、支河附近（东经 117°03′，北纬 34°52′）。西汉名"甾"，东汉为蓄丘县（此为宿州地历史记载最早的聚落地域名）。[3]

殷商衰之始于此。《左传·昭公十一年》云："纣克东夷而损其身。"陈梦家《殷虚卜辞综述》称东夷人方在濉河、浍河、淮河之间宿州地域，陈秉新先生补证，印证此观点。[4]

相土，昭明之子，传为马车的发明者。[5]

---

[1] 《十三经注疏·卷二十》，中华书局 1980 年版，第 626 页；徐学林《安徽建置沿革》第 93 页。

[2] 陈梦家《殷虚卜辞综述》，第 302-302 页，中华书局，1956 年版。

[3] 谭其骧《中国历史地图集第一册》，中国地图出版社 1982 年版。《甲骨文简明词典》，中华书局 2009 年版，第 349 页，《中国历史地名辞典》第 574 页；陈梦家《殷虚卜辞综述》第 307 页。

[4] 《安徽通史·卷一》第 198 页；陈康新《出土夷族史料辑考》（导言），安徽大学出版社，2007 年版。

[5] 《中国历史大事年表》，上海辞书出版社，2001 年版。

周

前 11 世纪

周成王（诵）武王子。宋，使纣王庶兄微子开都商丘，有今豫东及苏、鲁、皖各一小部（包括宿州地域）。①

（前 11 世纪）周初

周公东征伐淮夷。

（前 900 年）周穆王伐淮夷，位于今泗县至江苏泗洪一带的徐国国君徐偃王趁穆王西征，乃率九夷以伐宗国，西至河上。穆王畏其方炽②；乃分东方诸侯命徐偃王主之。据传说："陆地而朝者三十六国。"（徐、古方国、族邑。在今泗县至泗洪一带）今洪泽湖西北地区。③

前 792 年，宿地属淮夷

周宣王三十六年，宣王在西北用兵外，还向东南淮夷、徐夷用兵，兵败。④

前 721 年，周平王五十七年

宿国，亦作"夙沙"，炎帝时诸侯国，古国，风姓，相传为太皞之后，东平无盐县，今山东东平西南宿城。⑤

---

① 《中国历史大事年表》第 11–12 页。。
② 方炽——方即当代邦国；炽指旺盛。
③ 李修松《淮史研究》；《安徽通史·卷一·大事编年》第 526 页。
④ 《宿县县志》，第 7 页，黄山书社 1988 年版。
⑤ 《册府元龟·卷二三五·列国郡部》（第三册）第 2787 页，中华书局 1985 年影印本。

鲁隐公二年。九月，鲁隐公与宋穆公会盟于宿（宿国封地原山东东平县境内）。我地域于"宿"结缘。①②

宿人。远古时传"专为煮盐的东夷大族。宿，为宿（夙）沙之民。"③

《世本·作篇》："宿沙煮盐"。《淮南子·道应训》："昔夏，商之臣仅仇桀纣而臣汤武，宿沙之民，皆自攻其君而归神农，此世之所明知也。"④

前715年，鲁隐公八年

夏六月辛亥，"宿男卒"（旧无考，当为宿州之宿国的君主，为男爵，说明应是周代封国）⑤。

前699年

冬十一月，鲁庄公与宋公、卫侯、陈侯会盟于袤（今濉溪县渠沟镇），共商伐郑，未克而返。⑥

前684年，周庄王十三年，鲁庄公十年

二月，公侵宋。三月宋人迁宿于畿内以为附庸⑦，遂国于此。（无传，宋强迁之而取其地，故文于邢迁）⑧

武王分天下为九畿，至成王继位，亦曰九州。时封风姓裔为宿男，建宿国（前684年，宋湣公迁往今宿州灰古一带立国，宿国为宋国附庸），相地属宿国。⑨⑩⑪

---

① 《十三经注疏·春秋左传正义》第1714页。
② 《册府元龟·卷二三五·列国郡部》（第三册）第2790页。
③ 吴之邦《武夷实名考》，《安徽史学》，1996年第3期。
④ 《竹书纪年·前编》第1024页。
⑤ 钦定四库荟会《赵氏春秋集传》第18页，《安徽通史·卷一》第282页。
⑥ 《淮北市志》第12页，方志出版社1999年版。
⑦ 附庸——商氏之起，大明宪法立公侯伯子男凡五等之爵，其分土则：公侯地方百里，伯七一里，男五十里，为三等之制，不能五十里者，附于诸侯曰附庸。
⑧ 《十三经注疏·春秋左传正义》第1766页。
⑨ 《安徽文史资料全书·淮北卷》第1页，安徽人民出版社1987年版。
⑩ 《宿县地区志·大事记》第6页，中国人民大学出版社1995年版。《宿县县志·大事记》第7页。
⑪ 《册府元龟·卷二三五·列国郡部》（第三册）第2787页。

前682年，周庄王十五年

肖城为宋附庸国。①

前564年，周灵王八年，鲁襄公九年

宋灾，火灾也，时都城相城，乐喜为政。②

前645年，周襄王七年，鲁僖公十五年

楚伐徐。徐即诸夏故也，楚败徐于娄林（今泗县）。诸侯救徐。③

前597年，固定王十年，鲁宣公十二年

楚灭肖（宋附庸，今安徽萧县西北）。④

前588—前576年

为避水患，经睢阳迁都于相。⑤

前588—前576年

宋共公时，迁都相城。⑥

前543年，周景王二年，鲁襄公三十七年

五月甲午，宋灾，宋伯姬焚死。⑦

前512年，同敬王八年，鲁昭公三十年

冬十有二月，吴灭徐、徐，赢姓国家，齐桓公时徐曾即诸夏而抗楚，也与吴国友善，但为楚国一再相逼与讨伐、在吴楚争战中备受欺凌。因处理吴国降将不当，遭吴国水淹而亡。徐子章（禹）奔楚，子孙分散，其文化影响南中国。（西汉置徐县）⑧

---

① 《安徽通史·卷一大事编年》第527页。
② 康熙《宿州志》（下卷）第659页。
③ 《安徽通史·卷一大事编年》第528页。
④ 《中国历史大事年表》第32页。
⑤ 《淮北市志·大事记》第12页。
⑥ 《安徽通史·卷一》第529页。
⑦ 康熙《宿州志》（下）第659页。
⑧ 《十三经注疏·左传·正义卷五十三》第2125页；《安徽通史·卷一·大事编年》第530页。

徐国都城在泗县与今泗洪之间①。

蕲（今宿州蕲县镇），诸侯国，为宋国所灭。蕲地为楚所辖。②

符离。"楚南有符离之塞"。③

（筑），卜辞有："丙戌，代人方于筑，吉。"（李学勤《英国所藏甲骨集》第 2526 页）。陈秉新先生认为此字为版筑之筑的初文，卜辞用为地名，假为竹。《读史方与纪要》南直宿州："竹邑城，在州北，秦曰竹邑。"《括地志》："今符离故竹邑也。"④

铚，卜辞有：乙己，王卜，才（在）铚贞，今日步（往）于攸，亡灾。⑤

陈秉新先生认为铚的繁文，读若铚即汉代沛郡铚县，今濉溪县南。《出土夷族史料辑考》第二章《乙辛卜辞征人方》⑥。

前 476 年，周敬王四十四年

宋国被齐、楚、魏所灭，宿地属楚。⑦

前 445 年，周定王二十四年，楚惠王四十四年

灭杞。杞本为夏后苗裔，几经迁徙，约在越王勾践北上时，自鲁东北的洙水流域迁主夏州即汉代夏丘县（今泗县城关），继续在四世 39 个春秋为楚所灭，其独具特色的文化对于这一地区的民风年俗产生较大影响。⑧

---

① 《中国历史大辞典·历史地名词典》；徐国条《读史方与纪要·卷二十一·徐城条》第 1037 页。

② 徐学林《安徽建置沿革·第二章·第二节》第 130 页；《读史方与纪要·卷二十一符离条》第 1049 页。

③ 《战国策·冷向曰》；徐学林《安徽事置沿革》第 121 页。

④ 《安徽通史·卷一》第 194 页。

⑤ 罗振玉《殷墟书契前编》。

⑥ 《安徽通史·卷一》第 194 页，安徽大学出版社，2007 年版。

⑦ 《宿县县志·大事记》第 7 页。

⑧ 《安徽通史·卷一·大事编年》第 531 页。

秦

前 225 年，秦王政二十二年

秦将李信，蒙武率军二十万攻楚，至城父（今亳州东南城父集）为楚将项燕所破，项燕军驻蕲县（宿州市埇桥区蕲县镇）①。

前 224 年，秦王政二十三年

置泗水郡（治相）领十六县，宿州地有僮（泗县）、蕲（今宿州蕲县镇）、符离、（今灰古）、竹邑（今老符离）相、铚（今濉溪临涣集）、萧（萧县）、（今淮北相山）取滤（今灵璧高楼）。②

砀郡。领十二县，治砀（今砀山县与河南夏邑县交界处）在安徽宿地仅下邑（今砀山县）、甾县（今宿州市埇桥区支河乡）二县。③

前 224 年，秦王政二十三年

秦将王翦攻楚，取陈以南地，到平与（今河南平与北）大破楚军，至蕲县（今宿州市南）杀楚将项燕。④

前 223 年，秦王政二十四年

楚亡于秦。宿地属秦。

前 221 年，秦始皇二十六年

秦始皇统一中国后，在全国推行郡县制，分天下为三十六郡、宿地属

---

① 《宿县地区志》第 6 页。
② 《中国历史地名辞典》第 1667 页。
③ 徐学林《安徽建置沿革》第 6、7 页。
④ 《中国历史大事年表》第 76 页；《宿县地区志》第 7 页；《宿县县志》第 7 页。

泗水郡（砀山县地处砀郡，今宿州市、萧县、泗县均在泗水郡境内），当时，宿境内设置有相县（治今濉溪县西北）、铚县（今濉溪县临涣集）、蕲县、符离县、僮（今泗县潼城）、竹邑（今埇桥区老符离），取虑（今灵璧县高楼）、徐县（今江苏泗洪县南大徐台子）等十县。

前209年，秦二世元年

七月蕲县大水。

戍卒陈胜、吴广因遇雨失期，按律当斩，于是率戍卒九百人在蕲县大泽乡揭竿起义，攻克蕲县、铚县等地，兵至陈地，建立张楚政权。刘邦、项梁等纷纷起兵响应。符离（今宿州市东北灰古镇）人葛婴奉陈胜之命攻略九江（治今寿县）至东城（今定远东南）立襄强为楚王。①

前208年，秦二世二年

十月，陈胜诛杀葛婴。

十二月，陈胜从陈县败退，至下城父（今涡阳县东南），被其御者庄贾杀害。

前206年，汉王刘邦元年

秦朝灭亡。

二月，项羽自立为西楚霸王，封刘邦为汉王，英布为九江王。

---

① 《宿县地区志》第7页。

汉

前205 年　汉王刘邦二年

春，刘邦联五路诸侯兵五十六万，攻占楚都彭城，项羽率三万精兵从齐地驰回，大破汉军追至（古）灵璧东濉水上，杀死汉军无数，濉水为之不流。刘邦仅余数十骑逃至砀（今砀山县南）。①

古灵璧在今淮北市渠沟村濉水。②

古徐州。《禹贡》曰海岱及淮惟徐州，唐杜佑注：东至海北至岱、南及淮……蕲……肖……符离秦汉旧县，又有秦相县，故城在今县西北，项羽破汉军于灵璧东濉水，为之不流即此县界也。③

前203 年，汉王四年

泗水郡改为沛郡、治相城。④

前202 年，汉王五年

十二月，楚汉决战于垓下。韩信布置十面埋伏，把项羽团团围困在垓下（今灵璧县东南沱河北岸）。在四面楚歌声中，项羽仅带八百骑（向南）突围。楚军溃败，项羽至乌江（今和县乌江镇）自刎。⑤

---

① 《宿县地区志》第 7 页。
② 《濉溪县志》第 9 页；《中国历史地图集》（第三册）第 19–20 页，兖、予、徐、青州刺史部。
③ 杜佑《通典·卷一八零·州郡十》第 959 页，中华书局 1988 年版。
④ 《淮北市志》第 13 页。
⑤ 《宿县地区志》第 7 页。

前 201 年，汉高祖六年

冯谿被封为谷阳侯（今属固镇县地）。①

前 195 年，汉高祖十二年

淮南王英布反、刘邦率军亲征，击英布于蕲县西南会垂乡（今埇桥区大营镇附近），英布败走。②

前 187 年，汉高后元年

封洨国（今固镇濠城）。

前 117 年，汉武帝元狩六年

以夏丘（今泗县）、僮县（今泗县境内僮城集）属临淮郡。③

前 92 年，汉征和元年

废洨国，为洨县（即今固镇县濠城镇）。

前 69 年，汉宣帝地节元年

沛郡改为彭城郡黄龙元年（前 49 年）复改为沛郡。④⑤

置竹县，属沛郡治所在今赵集乡孤山下，公元 44 年（东汉建武二十年）改称竹邑。⑥

前 44 年，汉元帝初元五年

夏及秋，淫雨连旬，坏民芦舍，水流杀人。⑦

前 27 年，汉成帝河平二年

正月，沛郡铁官炼铁、铁不下，隆隆如雷声、工匠惊走、音止、地陷数尺、铁炉崩溃、销铁散如流星皆飞去。⑧

---

① 《固镇县志》，中国城市出版社 1992 年版。
② 《宿县地区志》第 7 页。
③ 《宿县地区志》第 7 页。
④ 《宿县地区志》第 7 页。
⑤ 《淮北市志》第 12 页。
⑥ 《濉溪县志》第 9 页，上海社会科学院出版社 1989 年版。
⑦ 康熙《宿州志》（下）第 660 页。
⑧ 《宿县地区志》第 7 页。

元月，某日沛郡相城地震。铸铁工人化铁时，忽闻雷声隆隆，瞬间，地陷数尺，炼铁炉碎为10余块，铁水四贱如流星。①

9 年，王莽新始建国元年

王莽改梁国为陈定，改砀县为节砀县，改符离为符合，改蕲县为蕲城，改竹县为笃亭，改夏丘为思归，改杼秋为予秋，改甾丘为善丘，改下邑为下治，一度造成地名大混乱。② 改相县为吾符亭，改竹县为笃亭，改沛郡为吾符郡。③

25 年，汉更始帝更始三年

封刘秀为肖王。

许慎被封为洨长（洨，即今固镇县濠城镇）。④

28 年，汉光武帝建武四年

大将军盖廷于蕲县破刘永将苏茂、周建。⑤

44 年，东汉建武二十年

汉光武帝复称相县，徒中山王辅为沛王，改沛郡为沛国，辖21县、都在相县，笃亭为竹邑侯国。⑥

48 年，汉建武二十四年

六月丙申沛国濉水逆流一日一夜止。⑦

76 年，汉建初元年

兖、豫、徐大旱，诏，勿收田租刍藁。

79 年，汉章帝建初四年

迁梁国于下邑，砀县属之。

---

① 《濉溪县志》第9页。
② 《宿县地区志》第7页。
③ 《淮北市志》第12页。
④ 《宿县地区志》第8页。
⑤ 《宿县县志》第8页。
⑥ 《淮北市志》第12页。
⑦ 康熙《宿州志》（下）第660页。

85 年，汉元和二年

芝生沛，如人之冠然。①

104 年，汉永元十六年

诏，兖、豫、徐、冀四州，此年雨多份稼，禁沽酒。②

191 年，汉献帝初平二年

袁术遣孙坚击董卓，又暗遣周昂袭孙坚的阳城。孙坚回军击败周昂于阳城。［明·弘治《宿州志》（上）载："秦县，在州南。《广记》云：在亳州，今地属宿州。"］

193 年，汉献帝初平四年

曹操攻徐州，血洗睢陵，夏丘（今泗县）。③

219 年，汉献帝建安二十四年

曹操分沛国置谯郡，以竹邑、相城、符离等县属沛国，以铚县、蕲县等属谯郡。④

① 康熙《宿州志》（下）第 660 页。
② 康熙《宿州志》（下）第 661 页。
③ 《泗县志》第 1 页。
④ 《宿县地区志》第 8 页。

三　国

221 年，魏文帝黄初二年

追封曹熊为肖公。二月，遣使巡行许昌以东、至沛郡问民疾苦、贫者赈贷之。

229 年，魏明帝太和三年

追封曹熙为萧王，称萧国，其子六年殁，无子，国除。①

234 年，魏明帝青龙二年

改萧国为萧县，属豫州谯郡。②

238 年，魏明帝景初二年

分沛国置汝阴郡（今阜阳市③），阳城废。是时，今泗县地属徐州下邳国。④

262 年，魏元帝景元三年

魏大将军司马昭以"言论放荡、害时乱教"罪名，杀害名士宿地铚人嵇康，广陵散遂为绝音。⑤

264 年，吴末帝孙皓远兴元年

蕲县人娄玄因言直，触怒吴主孙皓，皓遣人鸩杀之。⑥

----

① 《宿县地区志》第 8 页。
② 《宿县地区志》第 8 页。
③ 《中国历史地名辞典》第 342 页。
④ 《宿县地区志》第 8 页。
⑤ 《宿县地区志》第 8 页。
⑥ 《宿县地区志》第 8 页。

晋

268 年，晋武帝泰始四年

九月晋青、徐、兖、豫四州大水，乃立常水仓。此后数年，淮北屡有大水。①

277 年，晋武帝咸宁三年

是年兖、予、徐、青、荆、益、梁七州大水。②

291 年，晋惠帝永平元年

贾后杀杨骏，夷三族。颍川荀恺怀恨武茂（武茂，宿地竹邑人）即诬武茂是杨党、遂被害，时朝野上下皆悯之。③

295 年，晋惠帝元康五年

夏，沛郡（宿地属沛郡）大水，八月间沛郡雨雹，小如卵，大如拳，伤害人畜性命。④

301 年，晋惠帝永宁元年

夏秋，青、徐大旱。⑤

317 年，晋元帝建武元年

肖县属沛郡，郡治由相徙于肖。东晋时期，北方各少数民族的统治者

---

① 《安徽通史·卷二·大事编年》第 1562 页。
② 《宿县县志》第 8 页。
③ 《宿县县志》第 8 页。
④ 《宿县地区志》第 8 页。
⑤ 康熙《宿州志》（下）第 661 页。

016

相继逐鹿中原、战乱不已，本地区先后为后赵、前燕、前秦所占，北方流民大量南迁，郡多侨置、变化频繁，政区混乱。①

318 年，东晋元帝大兴元年

周坚以沛郡、彭城郡降于后赵石勒。沛郡连年蝗灾，伤禾殆尽、造成灾年凶岁。②

335 年，东晋成帝咸康元年

沛郡大水。③

357 年，东晋穆帝开平元年

沛郡、谯郡陷于前燕。④

370 年，东晋废帝太和五年

燕灭，宿地尽入前秦。⑤

384 年，东晋孝武帝太元九年

宿地复入于东晋。⑥

405 年，东晋安帝义熙元年

魏拓跋珪遣义州刺史索度真、大将军斛斯兰率众攻徐州、相县等地，刘道邻领兵救之，索度真、斛斯兰败退。⑦

411 年，东晋安帝义熙七年

今泗县地属南兖州，州治在夏丘。⑧

431 年，南朝宋元嘉八年

废竹邑县。⑨。

---

① 《宿县地区志》第9页。
② 《宿县地区志》第9页。
③ 《宿县地区志》第8、9页。
④ 《宿县地区志》第9页。
⑤ 《宿县地区志》第9页。
⑥ 《宿县地区志》第9页。
⑦ 《宿县县志》第9页。
⑧ 《宿县地区志》第9页。
⑨ 《濉溪县志》第9页。

南　北　朝

443 年，南朝宋文帝元嘉二十年

在宿地蕲县获白鹿，太守邓宛以献。①

457 年，南朝宋大明元年

相人唐砀急病暴之，其妻张氏遵天嘱，剖其腹，翻扦内脏、查找病因。此为世界第一例人体病理解剖。②

465 年，北魏文成帝和平六年

北魏攻占萧县，属徐州沛郡。

480 年，南朝齐高帝建元二年

齐高帝萧道成遣阵靖率军攻北魏竹邑县（县治在符离西、古饶集）未克。③

483 年，北魏太和七年

置谷阳镇（今谷阳城）。

509 年，梁天监八年

置赤坎戌（今仁和集）。④

---

① 《宿县地区志》第 9 页；《宿县县志》第 8 页。
② 《濉溪县志》第 10 页。
③ 《宿县地区志》第 9 页；《宿县县志》第 8 页。
④ 《固镇县志》第 1 页。

525 年，梁普通六年

置临涣郡，治所在今临涣集。①

526 年，北魏孝明帝孝昌二年

废下邑，置砀县、安阳两县。②

527 年，南朝梁武帝大通元年

梁武帝成隽北伐魏。克宿地竹邑县（今符离镇）。攻战萧城、厥固（今淮北市相山区），十月攻克涡阳（今蒙城县），梁于此置西徐州。③

梁趁魏乱，遣将北伐。五月将军咸景携攻克临潼（今灵璧县东北）、竹邑（今宿州北符离镇）。兰钦攻占肖城、厥国（今淮北市相山区）。十月，将军陈庆之攻克涡阳（今蒙城县），梁于此设西徐州。④

536 年，南朝梁大同二年

废赤坎戍置仁州，治所赤坎城（今安徽固镇东南仁和集）。北魏辖境相当今安徽怀远、固镇二县地。隋大业废。⑤

548 年，东魏孝静帝武定六年

在夏丘置临潼郡，北齐又易名为夏丘郡，后置潼州，北周时又改为宋州，改夏丘县为晋陵县。⑥

550 年，北齐天保元年

辛述为徐州刺史。经略淮南，蕲城镇将犯法，辛述按奏斩之。⑦ 废临涣郡，新置临涣县；废涣北县、复置竹邑县。⑧

554 年，南梁元帝承圣三年

北齐遣高涣军南下攻梁，南梁以裴之横坚守蕲城，裴之横至蕲，营垒

---

① 《濉溪县志》第 10 页。
② 《宿县地区志》第 10 页。
③ 《宿县地区志》第 10 页；《宿县县志》第 8 页；《濉溪县志》第 10 页。
④ 《安徽通史·卷二·大事编年》第 569 页。
⑤ 《中国历史地名辞典》（上）第 441 页。
⑥ 《宿县地区志》第 10 页。
⑦ 《宿县地区志》第 10 页。注意：《宿县县志》经校正错 1 年。
⑧ 《濉溪县志》第 10 页。

未周，北军大至，裴军战至兵尽粮绝，全军覆没。①

556 年，北齐天保七年

改萧县为承高县，属徐州彭城郡。②

废相县为相城乡，并入符离县，此后相城无县以上建置。③

573 年，南朝陈宣帝太建五年

陈宣帝遣吴明彻北伐，克仁州、蕲城，又克谯郡城等地。④

---

① 《宿县地区志》第 10 页。
② 《宿县地区志》第 10 页。
③ 《淮北市志》第 13 页；《濉溪县志》第 10 页。
④ 《宿县地区志》第 10、8 页。

隋

583 年，隋文帝开皇三年

改郡为州，全国实行以州统县二级地方行政机构，改变了全国的政区混乱状况。①

废竹邑县。②

586 年，隋文帝开皇六年

改承高县为龙城县，属彭城郡。③

589 年，隋文帝开皇九年

相城随符离县属彭城郡。④

蕲城为蕲县属彭城郡。⑤

598 年，隋文帝开皇十八年

改龙城县为临沛县。

改安阳县为砀山县。⑥

605 年，隋炀帝大业元年

隋炀帝命皇甫议发河南。淮北民众百余万，开挖通济渠自洛阳引谷水

---

① 《宿县地区志》第 10 页。
② 《濉溪县志》第 10 页。
③ 《宿县地区志》第 10 页。
④ 《淮北市志》第 13 页。
⑤ 徐学林《安徽建置沿革》，安徽省地方志办公室编，1984 年版，第 122 页。
⑥ 《宿县地区志》第 10 页。

入黄河，又自抃渚引河达于淮，后名汴河（古汴河横贯今宿城中心）；是年八月，隋炀帝坐龙舟到江都，往返场经过宿地当时地名为埇口，又称埇桥，是隋唐运河（通济渠）又称汴河上的一个重要的咽喉重镇。（新中国成立后，群众在隋堤搞农田水利，曾多处挖出船桅、船板、瓷器、陶器等物）

是年复改临沛县为萧县。①

607年，隋炀帝大业三年

将全国所置州县加以省并，并改州为郡，推行郡县二级制，宿地分属于彭城、梁、下邳诸郡。

复置夏丘县，属泗州，大业时改属下邳郡，后又属仁州。②

610年，隋大业六年

割彭城、睢阳2个郡部分地域，始置永城县，芒砀山及以北地区仍属砀山县。③

---

① 《宿州地区志》第10页；《宿县县志》第9页。

② 《宿县地区志》第11页。

③ 《砀山县志》第41页。方志出版社，1996年版。

唐

621 年，唐高祖武德四年

唐初沿隋制。改郡为州，实行州县二级制。宿地分属徐州、宋州、泗州辖地。

置仁州，治所在夏丘县（今安徽泗县、辖境相当今安徽泗县，固镇等县地）。贞观八年（634）废。[①]

析夏丘县置虹县。六年，省夏丘入虹县（夏丘县废）[②]。

分符离县置诸阳县，治所在今赵集乡山西村。[③]

627 年，唐太宗贞观六年

废诸阳县，并入符离县。[④]

634 年，唐太宗贞观十三年

移虹县治于夏丘故城，以虹县属泗州。砀山县属宋州睢阳郡（今商丘县南）。[⑤]

656 年，唐高宗显庆元年

谷阳（今固镇南）并入蕲（县）。[⑥]

---

① 《中国历史地名辞典》第 441 页。
② 《宿县地区志》第 11 页。
③ 《濉溪县志》第 10 页。
④ 《濉溪县志》第 10 页。
⑤ 《宿县地区志》第 11 页。
⑥ 《蕲县镇志》第 3 页。

656 年，唐高宗显庆元年至显庆六年（662 年）

宿州符离（今宿州市东北九十里）有隋故牌湖堤，显庆年间修复，灌田五百余顷。①

739 年，唐开元二十七年

来访使齐瀚主持修凿虹县（今泗县）、广济新渠，自虹至淮阴北十八里入淮，扩大沿途漕运和灌流。②

721 年，唐玄宗开元九年

齐瀚为汴州刺史，开广济新渠，自虹县至淮阴入淮，以便漕运，因水流湍急不可行，遂废。③

742 年，唐玄宗天宝元年

改徐州为彭城郡，萧县属之。④

744 年，唐玄宗天宝三年

李白游砀山宴喜台，并吟诗说之。⑤

761 年，唐肃宗上元二年

穆宁上元初为殿中御使，佐盐铁转运，住埇桥。李光弼屯徐州，饷不至，檄取资粮，宁不与。光弼怒穆宁，欲杀之，即往见，光弼曰："君闭廪不救，欲溃吾兵耶？"答曰："命宁主粮者，敕也。公司以檄取乎？今公求粮而宁专馈，宁求兵而公亦专与乎？"光弼谢曰："吾固知不可，聊与君议耳。"时重其能守官。⑥

762 年，唐代宗宝应元年

六月，刘晏勾当转运使。置盐铁使于埇桥，建盐铁巡院。

盐铁转运使刘宴自淮北置巡院十三，曰："扬州、陈许、汴州、卢寿、

① 《新唐书·地理志·淮河大事记》第 15 页，中华书局 1975 年版。
② 王鑫义、张子侠《安徽通史》第 514 页，安徽人民出版社，2011 年版。
③ 《宿县地区志》第 11 页。
④ 《宿县地区志》第 11 页。
⑤ 《宿县地区志》第 11 页。
⑥ 光绪《宿州志·卷三十六·杂类志·摭记》第 565 页。

白沙、淮西、埇桥、浙西、宋州、泗州、岭南、兖郓、郑滑，捕私盐者，奸盗为之衰息。"①②

765—766 年

刘谞（刘禹锡父）主务埇桥③④。

781 年，唐德宗建中二年

叛藩淄青节度使李正己，遣兵扼徐州埇桥断绝江淮漕运。李正己死，其子李纳为帅称王。⑤

唐将李正己反，派兵据守符离一带。⑥

782 年，唐德宗建中三年

李正己死，其子李纳为帅称王，绝汴食向路，埇桥失守，仍派兵控制汴水使唐东南漕运受阻，改道由蔡水而上。⑦

沛郡大旱，麦枯草竭，树森点火即燃。

是年白居易之父白季庚任徐州别驾，徐泗观察判官、白居易随父移居符离。⑧

白居易（11 岁）随家迁居符离毓村，即今符离村东菜园。⑨

784 年，唐德宗兴元元年

韩滉运米百艘以饷李晟，助饷王师，配合刘洽收复埇桥，控引漕挽，委输京师。

787 年，唐德宗贞元三年

沛郡大旱，赤地数百里，麦枯草竭，树木点火即燃。⑩

---

① 《新唐书·卷五十三·食货》。
② 李修松《淮河流域文化史研究》。
③ 光绪《宿州志·武备》。
④ 《唐会要·卷八十七·转运使》第 1896 页。
⑤ 《宿县地区志》第 11 页。
⑥ 《宿县县志》第 9 页；《符离镇志》第 8 页。
⑦ 《新唐书》（卷二二五·李希烈传）。
⑧ 《宿县地区志》第 11 页。
⑨ 《符离镇志》第 8 页。
⑩ 《宿县县志》第 9 页。

白居易（16 岁）在符离睢南原写下了《赋得古原草送别》的名篇：
"离离原上草，一岁一枯荣；野火烧不尽，春风吹又生。"这成为脍炙人口
的名句。①

788 年，唐德宗贞元四年

宣布实施李泌提出的"埇桥部署"以张建封为徐、泗、濠节度使，镇
徐州，派兵保护漕运道咽喉汴水埇桥（今宿城）。②

以张建封为徐、泗、濠节度使，以保护运道咽喉汴水埇桥，史称"埇
桥部署"。③④

792 年，唐德宗贞元八年

河南，江淮 40 余州大水六月淮水溢，平地七尺，没泗州城，徐州平地
水深丈余。⑤

刘晏任江淮转运使期间，设置"埇口巡院"。埇桥成为国家漕运的派
出管理机构，也是淮汴漕运中转站。⑥

江淮水灾。⑦

799 年，唐德宗贞元十五年

韩愈寓居符离濉上，时符离安阜屯获白兔，韩愈写《贺符离白兔状》
一文，献徐州节度使张建封。⑧

是年，吐蕃攻云南隽州时，唐将杨万波约降事泄，杨万波率军徙
符离。⑨

---

① 《符离镇志》第 8 页。
② 《宿县县志》第 9 页。
③ 《资治通鉴·卷二三三》。
④ 《中国历史大事年表》第 270 页；《安徽通史·卷二·大事编年》第 519 页。
⑤ 《淮河水利简史》，中国水利电力出版社，1990 年版，第 339 页。
⑥ 《安徽通史·卷三》第 254 页；《新唐书·卷五四·食货志四》。
⑦ 《安徽通史·卷三·大事编年》第 519 页；《中国历史大事年表》，上海辞书出版社，第
271 页。
⑧ 《宿县地区志》第 11 页。
⑨ 《宿县县志》第 9 页。

800 年，贞元十六年

徐泗濠节度使张建封死，其子张愔知军镇事。德宗加淮南节度使杜佑以讨之。泗州刺史张伾攻埇桥，屡败。朝廷隆旨授张愔徐州刺史，知留后。泗州刺史张伾为泗州留后，濠州刺史杜佑兼为留后。仍加杜佑兼泗濠观察使。①

809 年，唐宪宗元和四年

为防御淮西叛藩的窜扰，遏其势力扩张、保护汴河漕运，析原徐州之符离县、蕲县，原属泗州属之虹县等地置宿州，宿州，按故国原则命名。②治埇桥镇（今宿州市埇桥楼处为古埇桥遗址，1939 年打井时曾挖出桥基），属河南道，擢李光弼之子李汇为宿州刺史。时户八千六百七十六，乡三十六。东南至淮百里，与濠州分中流为界，北至徐州一百五十里，西至宋州三百三十里，东至泗州四百二十里。③

814 年，唐元和九年

亳州临涣县改属宿州。

816 年，唐宪宗元和十一年

夏四月，徐宿赈灾一万石。④

822 年，唐穆宗长庆二年

三月，武宁节度副使王智兴率精兵三千讨幽，镇还师驱赶徐州节度使崔群，"遣轻兵"袭击埇桥，掠盐铁院缗币及汴路进奉物，商旅赀货，率十取八。江淮饥荒。⑤

829 年，唐文宗大和三年

宿州废。⑥

---

① 《安徽通史·卷三·大事编年》第 520 页。
② 《陈桥驿水经注研究》第 320 页。
③ 《宿县地区志》第 12 页。
④ 《宿县县志》第 9 页。
⑤ 《安徽通史卷三·大事编年》第 522 页。
⑥ 《宿县地区志》第 12 页。

四月，宋、亳、徐等州大水，害稼。①

833 年，唐文宗大和七年

复置宿州，仍领四县、治埇桥。②

858 年，唐大中十二年

徐、泗大水，水深五丈漂没数万家。③

859 年，唐大中十三年

诗人皮日休移家宿州符离，与陆鲁望为契交，有《白菊诗》。④

862 年，唐懿宗咸通三年

以符离为州治，置宿泗团练观察使，后复治埇桥。⑤

863 年，唐懿宗咸通四年

设宿泗等州都团练处置使。⑥

868 年，唐懿宗咸通九年

徐州城兵一部分屯桂林、原定三年轮换，至是六年不得代。都虞侯许佶等推粮料判官庞勋为主，自行北归。至湖南，乘船沿江东下，过浙西，入淮南，经泗州（在今江苏盱眙北洪泽湖水下）北上，破宿州（今安徽宿县），又进破徐州，上表求旌节。……运路又断。

与唐将乔翔战于符离，乔翔败，庞勋攻占宿州。时宿州阙刺史观察副使焦璐摄州事。勋掠城中大船三百艘、备载资粮，顺流而下，欲入江湖为盗。⑦⑧

869 年，唐懿宗咸通十年

庞勋兵攻海州、围寿州，均败。康承训以沙陀骑兵为前锋东进，连败

---

① 《安徽通史·卷三》第 522 页。

② 《宿县地区志》。

③ 《中国历史大事年表》上海辞书出版社，第 285 页；《水简史》第 339 页。

④ 《安徽通史·卷三·大事编年》第 524 页。

⑤ 《宿县县志》第 9 页；《符离镇志》第 9 页。

⑥ 徐学林《安徽建置沿革》第 122 页。

⑦ 《资治通鉴·卷二百五十一·唐纪六十七》《宿县地区志、宿县志》第 12、9 页。

⑧ 《历史大事年表》第 287 页。

庞勋将王弘立，姚周退入宿州。庞勋称天册将军，宣称"自此，勋与诸君真反"。勋出徐州，至丰县，周败北面唐军。淮南节度使，马举破徐州兵，杀王弘立，解泗州围。泗州被围达七个月。庞勋西攻康承训，在柳子（安徽宿州市西北）大败，退回徐州。旋以唐军逼近，唐军破徐州，追杀庞勋败至濠州，在蕲县西涣水之战中失利，溺水而死，凡一年三个月。①②

　　春正月，唐将康承训将诸道军七万余人，屯柳子之西。

　　夏四月，唐将康承训攻宿州柳孜镇（今濉溪县柳子镇）。时大风起，四面似火，庞勋部将姚周弃寨奔宿州，康承训乘胜抵宿州，斩姚周于芳亭，庞勋守将张元稔遂降。在州城内柳溪亭饮酒，无稔大呼曰：庞勋已枭首于仆射寨中，此辈何得尚存，士卒竞进遂斩张儒等数十人。③ 庞勋战死于蕲县集附近。④

　　四月庞勋率桂林戍卒起义军与唐军七万战于柳孜镇。义军败，转战临涣、亳州一带，九月庞勋战死。⑤

　　是年，免除宿、亳、濠、泗州三年税役。⑥

870 年，唐咸通十一年

以泗州改隶淮南，徐州为感化军节度。辖徐、濠、宿三州。⑦

876 年，唐僖宗乾符三年

秋九月，汴将朱诊打败时溥之师于宿州。⑧

877 年，唐僖宗乾符四年

汴河在埇桥东南溃地，使附近沦为沼泽。⑨

① 《中国历史大事年表》第 288 页，上海辞书出版社。
② （史洲）《安徽史志综述》第 241 页。
③ 《宿县县志》第 9 页。
④ 《资治通鉴·卷二百五十一·唐纪六十七》；《宿县地区志》第 12 页。
⑤ 《濉溪县志》第 10 页。
⑥ 《宿县县志》第 9 页。
⑦ 沈起炜《中国历史大事年表》，上海辞书出版社，2001 年版，第 288 页。
⑧ 《宿县县志》第 9 页。
⑨ 安作璋《中国运河文化史》（上卷），山东教育出版社，2006 年版，第 446 页。

880 年，唐僖宗广明元年

六月，鲁景仁起义军攻临宿州。后加入黄巢起义军。①

881 年，唐僖宗中和元年

八月，感化军节度使支祥派时溥率兵入关讨黄巢，驻扎在河阴，军乱，推时溥为留后，溥遣将率精兵三千人入关。十二月，僖宗以感化军留后时溥为节度使，治徐、泗、濠、宿四州。②

885-891 年，唐光启元年至大顺年间

徐、泗、蔡三郡民无耕稼，频岁水灾，人丧十六七。③

887 年，唐僖宗光启三年

杨行密据淮甸，自埇桥东南决汴，汇为污泽，运河断流。④

888 年，唐昭宗文德元年

秋八月，朱全忠击徐州，遂又取萧县宿州。⑤

十月，朱温派遣先锋朱珍进攻徐，大败时溥于吴康镇，攻占丰县、萧县等地，攻取宿州。⑥

890 年，唐昭宗大顺元年

四月，宿州宋将张筠逐刺史张绍光。十月，唐遣中书令朱全忠率兵来击张筠，张筠闭城自守。次年三月，朱令忠部将丁会，以汴水淹城，张筠降。⑦

891 年，唐昭宗大顺二年

朱全忠（朱温）攻宿州，张筠固守，朱全忠部将丁会筑堤用汴水渰宿

---

① 《宿县县志》第 9 页；《宿县地区志》第 12 页。
② 《安徽通史·卷三·大事编年》第 526 页。
③ 《淮河水利简史·隋唐北宋时期淮河流域较大水旱灾统计表》第 339 页，中国水利电力出版社 1990 年版。《新唐书·时溥传》。
④ 《宋史·卷二五二·武行德》；《安徽通史·卷三·大事编年》第 527 页。
⑤ 《宿州市志》第 1 页；《宿县县志》第 9 页。
⑥ 《安徽通史·卷三·大事编年》第 528 页。
⑦ 《宿州市志》第 1-2 页。

城，张筠乃降。①

894 年，唐昭宗乾宁元年

朱全忠以徐、宿为感化军。②

897 年，唐昭宗乾宁四年

朱全忠大举进攻杨行密，分三路进攻，庞师古驻青口，葛从周驻安平，朱令忠屯宿州。杨行密部将朱瑾，以淮水灌之，大败朱军，朱全忠弃宿州。③

十月，朱全忠发兵击杨行密，自屯宿州，兵败，奔走。④

898 年，唐昭宗光化元年

七月，山南东道节度使赵匡凝谋附杨行密，朱温遣宿州刺史氏叔琮领兵进讨，取唐、邓、随等州，赵匡凝惧，请服于朱全忠，全忠许之。⑤

899 年，唐昭宗光化二年

二月唐置辉州于砀山县，以砀山、虞城、单文、成武隶之。⑥

杨行密攻徐州，宿州守将李礼以兵援徐州，杨行密攻徐州未克。⑦

901 年，唐昭宗光化四年

朱温上表朝廷，请求在其家乡砀山置辉州，砀山县属之。

朱温与杨行密反复交战于宿州。⑧

902 年，唐昭宗天复二年

六月，东面行营都统中书令杨行密奉昭宗诏讨朱全忠，攻宿州，因粮尽回师，未克。⑨

---

① 《宿县县志》第 9 页。
② 《中国历史大事年表》第 298 页；《宿县县志》第 10 页。
③ 《中国历史大事年表》第 298 页；《宿县县志》第 10 页。
④ 《宿州市志》第 2 页。
⑤ 《安徽通史·卷三·大事编年》第 530 页。
⑥ 《安徽通史·卷三·大事编年》第 530 页。
⑦ 《宿县县志》第 10 页。
⑧ 《宿县地区志》第 12 页。
⑨ 《宿州市志》第 2 页。

六月，杨行密奉诏讨朱全忠，进攻宿州，因久雨，辎重不能进，攻宿州不克，粮尽乃还。①

杨行密曾应朝命讨朱温，至宿州，以运河淤塞，运输困难而止。②

903年，唐昭宗天复三年

杨行密以王茂章步骑七千驰救平卢节度使王师范，又遣别将率兵数万攻宿州，梁王朱温命康怀贞救宿州，杨行密从宿州退兵。朱温遣兵屯驻宿州。③

---

① 《宿县县志》第10页。
② 《中国历史大事年表》第300页。
③ 《安徽通史·卷三·大事编年》第531页。

五　代

907 年，后梁太祖开平元年

五代始，砀山朱温即帝位，改名晃，国号梁。

年号开平，是为梁太祖。①

914 年，后梁乾化四年

徐州附吴，而宿州中梗，徐州复入于梁。②

924 年，后唐庄宗同光二年

吴杨溥顺义四年，二月，唐复辉州为砀山县。③

925 年，后唐庄宗同光三年

十一月二十五日，宿州大地震。④

是年，魏、博、徐、宿地大震。⑤

928 年，后唐明宗天成三年

宿州人获白兔献之，丞相安重晦说："兔阴且狡，虽白何益"，却而
不受。⑥

---

① 《中国历史大事年表》第 301 页。
② 《宿县县志》第 10 页。
③ 《安徽通史·卷三·大事编年》第 536 页。
④ 《宿县地区志》《宿县县志》《符离镇志》《濉溪县志》第 10 页、第 12 页、第 9 页、第 10
页。
⑤ 《中国历史大事年表》第 307 页。
⑥ 《宿县县志》第 11 页。

931 年，后唐明宗长兴二年

吴太和三年，宿州刺史周知裕"老于军旅，勤于稼穑，凡为郡劝课，皆有政声"。①

943 年，后晋齐王天福八年

六月，宿州飞蝗抱草干死。②

946 年，后晋出帝开运三年

契丹灭晋，入汴京，辽太宗见中原人难制，乃令武定军节度使符彦卿归回本镇，至埇桥、义兵欲劫之。③

947 年，后晋高帝天福十二年

冬十二月，宿州上奏，民饿死 867 人。④

949 年，后汉高帝乾祐二年

六月宿地蝗灾严重，至秋，蝗虫抱草而死。⑤

953 年

中原大水，南唐大旱，淮水可以步涉，饥民纷纷渡淮而北。⑥

955 年，后周世宗显德二年

十一月，遣李谷督军伐南唐，先发民伕导宿州汴水。达泗上，以通漕运。⑦

十一月，李谷督军伐南唐，至宿州、组织民工修复汴堤，疏浚汴水。⑧

为了方便攻打南唐军粮运输。开挖连接汴水、浍河水道，史称运粮河。从濉河经护城河至浍河。⑨

① 《旧五代书·卷六四·周知裕村》；《安徽通史·卷三·大事编年》第 537 页。
② 《旧五代史·出帝记》《中国历史大事年表》第 313 页。
③ 《宿县地区志》《宿县县志》《宿州市志》第 12、第 10、第 2 页。
④ 《宿县地区志》第 12 页；《宿县县志》第 10 页。
⑤ 《宿县县志》第 10 页。
⑥ 《中国历史大事年表》第 317 页；《淮水简史》第 339 页。
⑦ 《中国历史大事年表》第 318 页。《宿县地区志》第 13 页。
⑧ 《宿州市志》第 2 页。
⑨ 《蕲县镇志》第 3、21 页。

958 年，后周世宗显德五年

二月，发宿、徐二州民夫数万，浚汴水数百里，导河流达于江淮，舟楫始通。①

浚汴口、导河达于淮，汴渠完成，是为宋时中原与江淮间主要交通线。②

四月，周世宗从淮南前线返回，途经宿州，翰林医官马道玄"诉寿州界破贼杀却男，获正贼，见在宿州，本州又不为勘断。帝大怒，遣端明殿学士窦仪乘驿往按之，及狱成，坐族死者二十四人，太常博士，权知宿州军事赵砺除名，坐推劾驰慢也。五月，周世宗下诏："淮南诸州及徐、宿、宋、亳、颖等州，所欠去年秋夏税物，并与除放并免所欠上年两税。"③

959 年，后周世宗显德六年

南唐中兴元年二月，后周调发徐、宿、亳、颖等州丁夫疏浚汴渠，运河及淮北水路通畅。漕运不息，惠及宋代。④

---

① 《宿县地区志》第 13 页；《宿县县志》第 10 页。
② 《中国历史大事年表》第 319 页。
③ 《安徽通安·卷三·大事编年》第 543 页。
④ 《安徽通史·卷三·大事编年》第 544 页。

宋

960 年，宋太祖建隆元年

宿州团练使升为防御使。秋，宿州大火，焚毁民房无数，遣使抚恤，恤灾之年。

知州王祚，领防御使。①

961 年宋太祖建隆二年

宿州春夏不雨，次年大饥。②

四月，宿州一日尽夜无雨，然雷霆大作，军校傅韬震死。③

964 年，宋乾德二年

高保寅"授将作监，充内作坊使，赐第一区"。俄知宿州。④

969 年，宋太祖开宝二年

宿州大水，平地水深数尺，田禾尽没。⑤

颍、蔡、陈、亳、宿、许等州大水，害秋禾。⑥

杨重勋，麟州新泰人，太祖时为建宁军留后，后召为宿州刺史，保靖军节度使。⑦

---

① 《宿县地区志》第 13 页；《宿县县志》第 10 页。

② 《宿县县志》第 10 页。

③ 《宿县地区志》第 13 页。

④ 《宋史》（卷四八三·本传），中华书局 1985 年版。

⑤ 《宿县地区志》第 13 页；《宿县县志》第 10 页；《符离镇志》第 9 页。

⑥ 《淮河水利简史·隋唐北宋时期淮河流域水旱灾表》第 339 页。

⑦ 李之亮《宋两淮·大郡守臣易替考》第 20 页，巴蜀书社 2001 年版。

972 年，宋太祖开定五年

为加强宿州的军事地位，升宿州设置保靖军节度，属淮南路。①

975 年，宋太祖开宝八年

责段思恭为太常少卿，改知宿州，太宗即位，迁将作监，知泰州。②

978 年，宋太宗太平兴国三年

杨美知宿州，刘遇为观察使，复授保靖军节度。

太平兴国年间，宿州、皇朝营户：主一十一万二千五百四十二，客一万四千六百九十三。州境，东西三百五里，南北三百一十一里。③

983 年，宋太宗太平兴国八年

九月，宿州濉水溢，浸田舍方六十里。

987 年，宋雍熙四年

崔延进知宿州，授保靖军节度，端拱元年，被病，召归阙。④

994 年，宋淳化五年

豫、皖、苏三省、宋、亳、陈、颖、泗、邓、蔡州民田被水。⑤

钱昱，历典寿、泗、宿州。率无善政，郊祀，当进秩，以为郓州团练使。⑥

995 年，宋太宗至道元年

汴河运江淮米达五百八十万石。⑦

996 年，宋太宗至道二年

七月，宿州蝗灾。

---

① 《宿县地区志》第 13 页；《宿县县志》第 10 页。
② 《宋史》（卷二七〇·本传）。
③ 《宋两淮大郡守臣易替考》第 70 页；《太平寰宇记·卷十七》第 326 页。
④ 《宋史》（卷二五九·本传）。
⑤ 《淮河水利简史·灾表》第 340 页。
⑥ 《宋史》（卷四八〇·本传）。
⑦ 《中国历史大事年表》第 326 页。

997 年，宋太宗至道三年

萧县属京东西路徐州武宁军节度。①

1000 年，宋咸平三年

河决郓州，洪水经巨野入淮泗。②

1011 年，宋大中祥符四年

四月，马元方徙知宿州。③

1014 年，宋大中祥符七年

李防通判河南府，徙知宿州。④

1015 年，宋大中祥符八年

闰六月，泗州淮汴溢。⑤

1018 年，宋天禧二年

任布，降监邓州税，徙知宿州。时越州宋阙，乃徙布越州。⑥

1022 年，宋乾兴元年

七月，孙元芳，权盐铁判官，二部郎中，知宿州。⑦

1029 年，宋天圣七年

傅求，夷简入相，荐其才，擢知宿州。⑧

1036 年，宋仁宗景佑三年

欧阳修被贬夷陵（年表·饶州江西波阳）取道汴水、游灵璧张氏园亭。

屯田员外郎，董储知宿州。

---

① 《宿县地区志》第 13 页。
② 《中国历史大事年表》第 327 页。《淮河水利简史·灾表》第 340 页。
③ 《续资治通鉴长编》（卷七五），中华书局 1980 年版。
④ 《宋史》（卷三〇三·本传）。
⑤ 《安徽通史》（卷四）第 526 页。
⑥ 《宋史》（卷二八八·本传）。
⑦ 《长编》（卷九九）。
⑧ 《宋史》（卷三三〇）。

1040 年，宋宝元三年康定元年

王素，以职方员外郎知宿州。①

1045 年，宋庆历五年

李明允，都官员外郎知宿州。②

1047 年，宋庆历七年

张沔，贬秩知汝州，移知宿州，免相也，乃复得工部郎中，知广德军。③

1049 年，宋仁宗皇祐元年

陈希亮宿州知州，始造飞桥（虹桥）跨汴河。"诏缣赐以褒之，乃下其法，自畿邑至于泗州皆为飞桥。"④

其桥贯插众木成拱而无柱，可一跨过河。为世界桥梁史上独有。宋史明记为皇祐元年陈希亮在宿州（今埇桥区）所创。⑤

"其桥无柱，皆以巨术虚架，饰以丹服，宛如长虹。"其寿命可达五六十年，北宋末年，金兵南进，虹桥毁于战火。⑥

北宋都城汴梁（今开封市）建素有天下第一塔的开宝寺塔，又名铁塔，全身由褐色琉璃砖嵌饰，其饰陶有飞天、麒麟、伎乐等数十种图案的琉璃陶砖镶嵌，塔为八角形，共十三层，高 55.88 米。其砖系宿州曹村窑烧制，其琉璃砖上雕铸有烧制者"宿州土主吴靖"铭文。曹窑（在今宿州市埇桥区曹村）为北宋名窑。⑦

1051 年，宋皇祐三年

八月大旱，汴河绝流。诏徐、泗、宿州采磬石。⑧

---

① 《华阳集》（卷五），宗教文化出版社 2013 年版。
② 《宋两淮大郡守臣易替考》第 74 页。
③ 《宋两淮大郡守臣易替考》第 74 页。
④ 《宋史·卷二九八·陈希亮传》第 1116 页；《淮河流域文化史研究》第 331 页。
⑤ 项海帆《中国桥梁史纲》第 21 页，同济大学出版社 2009 年版。
⑥ 《宿县地区公路志·古桥》第 261 页，安徽人民出版社 1996 年版。
⑦ 《宿州市志》第 108 页，上海古籍出版社 1991 年版。
⑧ 《安徽通史》（卷四）第 528 页。

1052 年，宋皇祐四年

朱寿隆，司门员外郎提点总广南西路刑狱知宿州。① 石扬休，字昌言，祠部员外郎，秘阁校理，坐前在开封失盗，出知宿。司马温公以"炜炜符离宋，中流簇鼓旗"诗送之。《弘治·宿州志》载："知宿州究心民事，未尝有暇日，吾尚偷安一日，则讼事必聚，受害多矣。"宿州孔庙名宦祠有供牌位。②

1056 年，宋嘉祐元年

自京师至泗州置汴河岸，历四年而成。③

1063 年，宋嘉祐八年

马从先由进士累官太常少卿知宿州。宿素难治，从先厚赏以求盗，禁屠牛，铸钱甚严，大水发禀赈，流亡全活数万人，后又知寿州共治一如宿州。

1064 年，宋英宗治平元年

是年，宋、亳、宿、颍、濠、泗等州大水。④

1069 年，宋熙宁二年

元积中知宿州，先是畿内初置甲保，知宿州积中乞布之四方。⑤

1071 年，宋熙宁四年

正月，宿、徐、单等州另立为盗贼重法区。⑥

1072 年，宋神宗熙宁五年

宿州属淮南东路。⑦

九月，日本僧人成寻（俗姓滕原氏）入宋巡礼求法，途经宿州，知州

---

① 《长编》（卷一七二）。
② 《宋两淮大郡守臣易替考》第 75 页。
③ 《安徽通史》（卷四）第 528 页。
④ 《安徽通史》（卷四）第 528 页。
⑤ 《两淮大郡守臣易替考》第 76 页。
⑥ 《安徽通史》（卷四）第 529 页。
⑦ 《宿县地区志》第 13 页；《宿县县志》第 10 页。

原居中按制接待，存状文两篇。成寻记载沿途十余座大桥（飞桥、虹桥）"无柱，以大材木交上，以铁结留，宿州以后大桥皆如是。"①

1077 年，宋神宗熙宁十年

黄河大决于澶州曹村北流断绝，河道南移，分为二流，一合南清河入淮，一合北清河入海，凡灌四十五州县。②

苏、鲁、皖、七月、河决澶州曹村澶渊、北流断绝，河道南徙，东汇于梁山张泽泺，分为二派，一合南清河（泗水）入于淮，一合北清河入于海，凡郡县四十五，而濮、齐、郓、徐尤甚，坏田愈三十万顷。③

刘航知宿州。

1078 年，宋元丰元年

是年，始见关于安徽宿州淮北煤田及采煤冶铁的记载。④

1079 年，宋神宗元丰二年

苏轼在萧县白土镇之北发现煤。

三月二十七日，途经宿州、灵璧、泗县。在灵璧应张硕之邀游张氏园，作《张氏园亭记》一篇。⑤

1085 年，宋元丰八年

诏朝奉郎，王竞，知宿州为仓部员外郎，出提点刑湖南路刑狱。⑥

正月十五日，苏轼晤石康伯（幼安）于病，为其子苏迈娶其女为妻，在石家作《南乡子·宿州上元》。在康伯子夷更陪同下游览子石氏扶疏园，画了《墨竹图》一幅，又写下了《和人见赠》诗。⑦

高丽大觉国师义天入宋求法，溯汴入京，经宿州，留有《与知宿州

---

① 《参天台五台山记》第 101 页，花山文艺出版社 2008 年版。
② 《中国历史大事年表》第 340 页。
③ 《淮河水利简史·隋唐北宋淮域灾害表》第 340 页。
④ 《安徽通史》（卷四）第 530 页。
⑤ 《徐州市志·大事记》第 19 页。
⑥ 《宋两淮大郡守臣易替考》第 78 页。
⑦ 《苏轼年谱》。

状》《与宿州通判状》两篇。①

1086 年，宋哲宗元祐元年

折虹县所属零璧镇置零璧县，灵璧县之名始，属淮南东路宿州所辖，是年七月，废零璧为镇，仍属虹县。

六月，宿、亳、泗洲大水，夏田绝收。②

1089 的，宋元祐四年

诏新除京东路提点刑狱，周秩权知宿州，上奏《请宿州扩城》本。③

1091 年，宋元祐六年

正月，右承议郎王巩用苏辙、谢景温荐，除知宿州。

六月，右朝奉郎王巩罢知宿州，仍旧管勾太平观，提点开封府界诸县镇公事，张升卿知宿州。④

1092 年，宋哲宗元祐七年

苏轼以《乞罢宿州修城状》奏准后宿城从此未扩拓。

复置零璧县。政和七年（1117）改县名"零璧"为灵璧。⑤

泗州之零璧镇归属宿州，建灵璧县。⑥

1094 年，元祐九年绍圣元年

司封员外郎丁骘知宿州。

宿、泗、亳等州水灾。⑦

　　① 大觉国师（1055—1101），欲姓王，名煦，字义天。后因名犯宋哲宗讳，以字行。是高丽文宗第四子，十一岁出家为僧，成为高丽佛教领袖，被封为祐也僧统，高丽室王二年，即宋元丰八年四月庚午，潜与弟子二人隋宋商林宁船，从贞州（高丽）于五月甲午到达宋京东路密州板桥镇。宋哲宋派主客员外郎苏住接伴入京。时宿州知州王竞通判陆子履接待。《域外古文献学》《高丽大觉国师文集》。

　　② 《安徽通史》（卷四）第 530 页；《宿县地区志》第 13 页；《灵璧县志》第 1 页。

　　③ 《宋两淮大郡守臣易替考》第 78 页。

　　④ 《宋两淮大郡守臣易替考》第 79 页。

　　⑤ 《宿县地区志》第 14 页。

　　⑥ 《宿县县志》第 10 页。

　　⑦ 《宋两淮大郡守臣易替考》第 79 页。

晁说之任宿州教授。①

1096年，宋绍圣三年

刑部言前知宿州，朝请大夫盛南仲并妻三泉县君王氏在任赃污事，诏盛南仲除名，免其决流，送永州编管。②

1098年，宋绍圣五年元符元年

吴安申为宿守。

1102年，宋徽宗崇宁元年

吕希哲，字原明，寿州人，公著长子。元祐中为讲官，旋补外，遭崇宁党祸，罢职奉祠宿州，十余年间衣食不给，处之晏然，不以毫发事请托州县，尝有诗曰："除却借书沽酒外，更无一字扰公私。"其孙吕本中，字居仁，同居宿州，与州教授汪革及饶节、谢逸、徐俯等结"符离诗社"作《符离诸贤诗》，并首创编发《江西诗社宗派图》为两宋诗坛的主流派，对后世诗学具有深远影响。

江革，字信民，又字伯更，临州人，宋绍圣四年（1097）进士，任宿州教授，居于城南"清溪堂"，大观元年（1107）离任。任宿州间师事荥阳公吕希哲与其孙本中结社符离。著《菜根课》一卷。③

1106年，宋崇宁五年

孙杰，朝请郎、直龙图阁，知宿州徙苏。④

1110年，宋大观四年

富绍庭、富弼子，知宿州。⑤

1113年，宋政和三年

吴师礼，徽宗初，为开封府推官，以直秘阁知宿州。

---

① 《嵩山文集》（卷十八），影印版。
② 《长编》（卷四八五）。
③ 吕本中《师友杂志》，中华书局1985年版。
④ 《姑苏志》（卷三），书目文献出版社1998年版。
⑤ 《安徽通志》（卷一一五）。

1117 年，宋政和七年

二月，复置零璧县。县名改"零璧"为"灵璧"。西故镇隶属灵璧县。左朝请丈夫，郑龠知宿州。①

1121 年，宋宣和三年

前发运副使，不申籴本数目，侮慢失职故也，林篪知宿州降一官。②

1127 年，宋高宗建炎元年

泗州，宋金战争，虹地为金所有（《金史·地理志》泗川虹县条），后因长期战争，城郭沦为废墟近 60 年。

宿州属金，辖灵璧，属南京路。③

1128 年，宋高宗建炎二年，金天会六年

六月，王善率起义军攻宿州，被宋统领王冠战败。是年汴京留守杜充，决黄河阻金兵，黄河改道南迁夺汴，至清咸丰五年（1855），在兰考县铜瓦厢决口改道北流。其间 700 多年流经砀山、萧县及宿、灵北部，频频溃堤，造成无穷灾难。黄河夺淮导致淮河流域 700 年水灾不断。④

西故镇改名为西固镇、为军城，隶灵璧县。⑤

六月，王善起义军攻宿州，统领王冠战败。

是年八月，李成兵叛，攻宿州，召命刘光世讨之。

是年十月，李成兵入宿州，杀通判盛修己。

宋高宗绍兴元年（1131）

地伪齐刘予、置招受司于宿州。

是年，淮西都统王德收复徐州。⑥

东京留守杜充于李固渡（今河南滑县西南）西决黄河入清河，以阻金

---

① 《固镇县志》第 6 页；《灵璧县志》第 1 页。
② 《宋会要·职官》（四二之一○）。
③ 《中国历史地图集·第六册》第 53 页；《泗县志》第 1 页。
④ 《宿县地区志》第 14 页。
⑤ 《固镇县志》（稿·地理）第 6 页。
⑥ 《宿州市志》第 11 页。

兵，黄河从此不复故道。决河由泗（南清河）入淮，是为河道南移之始。此为淮北生态畸变水灾 700 余年之开端。①

东京（今开封）留守杜充于是为了阻止金兵南下，竟决开黄河，"自泗入淮"（《宋史·高宗本纪》）。这时正是南北用兵混战时期，金王朝无暇过问，以致形成黄河在金灭宋以后数十年间，迁徙无定。②

1136 年，宋高宗绍兴六年，伪齐阜昌七年，金天会十四年

正月，韩世忠奉张浚令，引军渡淮，至宿州符离，为金兵所困，宋军奋战溃围出。宋将呼延通与金将牙合索肉搏，扼其喉而擒之。③

1137 年，宋绍兴七年，金天会十五年

八月，渚路大旱，江、湖、淮、浙被害甚广。④⑤

1138 年，宋高宗绍兴八年，金熙宗天眷元年

金人分三路犯宿、亳，张浚派兵击之。张浚佺张益收复宿州。⑥

1139 年，宋高宗绍兴九年，金天眷二年

金宿州守将赵荣降宋。⑦

虹县属淮南东路泗川。⑧

1140 年，宋高宗绍兴十年，金天眷三年

五月，金不守条约复取河南地，宿州又祸入金。

六月张浚命王德取宿州，王德倍道自寿春驰至蕲县，偃旗息鼓，潜师趋宿州，夜半潜敌营与敌激战，命子王顺率先登上城头，敌遂降。乘胜下符离，复宿州。

宋将杨沂忠引兵驻宿州。金骑兵数百屯柳孜镇，杨沂忠率 500 骑兵夜

---

① 《中国历史大事年表》第 354 页。
② 《金史·河渠志》；《淮河水利简史·第五章·第一节》第 163 页。
③ 《宿县地区志》第 14 页；《宿县县志》第 11 页。
④ 《盱眙志》，影印本。
⑤ 《淮河水利史》第 340 页。
⑥ 《宿县县志》第 11 页；《宿州市志》第 3 页。
⑦ 《宿县地区志》第 14 页；《宿县县志》第 11 页。
⑧ 《宿县地区志》第 14 页。

袭柳孜镇，被金兵击溃，杨沂忠仓皇渡淮遁去。金人遂屠宿州。①

宋将杨存忠引兵500骑夜袭柳子镇，遭金兵伏击，退至泗水一带，金人占据宿州。②

闰元月张浚部将王德收复宿州、亳州。③

1141 年，宋高宗绍兴十一年，金皇统元年

宋金和议成，以淮水中流为界，宿州属金。南宋爱国诗人杨万里在《初入淮河四绝句》有"船离洪泽岸头沙，人到淮河意不佳。何必桑乾方是远，中流以北即天涯"的悲愤诗句。④

十一月，金守弼遣肖毅与宋使魏良臣至临安，提出"划淮为界"……和议成。⑤

1145 年，宋绍兴十五年，金皇统五年

九月，河决李固渡，金主宣调曹、单、拱、亳、宋、宿六郡民修之。⑥

1160 年，宋高宗绍兴三十年

金主完颜亮至汴州，起兵50万屯宿州、泗州，谋侵宋。⑦

1163 年，宋孝宗隆兴元年

四月，张浚遣李显忠、邵宏渊出师北伐，一举收复泗州、灵璧、虹县，斩金兵数千，收复宿州、符离等地。

五月，宋将张浚派遣李显忠率军渡淮河收复灵璧，守城金将富蔡，都木达等被迫投降。⑧

六月，两淮被水，是年难民徙江南数十万。⑨

---

① 《宿县地区志》第4页；《宿县县志》第11页；《宿州市志》第3页。
② 《濉溪县志》第11页。
③ 《中国历史年表》第359页，上海辞书出版社。
④ 《宿县地区志》第14页、《宿县县志》第11页、《宿州市志》第3页、《符离镇志》第10页；《宋诗鉴赏辞典》第1093页。
⑤ 《中国历史大事年表》第359页。
⑥ 《安徽通史》（卷四）第534页。
⑦ 《宿县县志》第11页。
⑧ 吴嵩、顾勤埔《灵璧县志》第1页，黄山书社2007年版。
⑨ 《淮河水利简史·南宋、金、元时期淮河流域主要水旱灾统计表》第340页。

六月，金兵复攻宿州，李显忠率军御之，邵宏渊忌忠功，按兵不动，显忠苦战力疲，乘夜弃城走符离，宋军十余万一夕大溃，宿州复于金。①

李显忠、邵宏渊献计攻虹县（今安徽泗县）、灵璧。孝宗命张浚遣二将先取二城。五月，李显忠渡淮，克灵璧，邵宏渊攻虹县不下，李显忠使降兵招降之。二将因此不和。李显忠克宿州，金讫石烈志宁反攻，邵宏渊子世雄等先退，李显忠被迫放弃宿州，溃于符离（今宿县）。②

1164 年，宋孝宗隆兴二年

淮东大水，淮水入泗州城。③

1168 年，宋孝宗乾道四年

河决胙城（今河南延津）、滑州（今滑县）间李固渡，分支从曹、单南下，徐邳，新河水六分；旧河四分。④ 记事从本年始。⑤ 黄河在李固渡（今河南张县南）决口；"水溃曹州城，分流于单州之境……新河六分；旧河四分。"南流入泗侵淮占十分之六，河势不断南移。⑥

1180 年，宋孝宗淳熙七年

河决卫州及延津，失故道，势更南流，后遂渐形成以一淮受全河之局。梁山泊从此渐涸为陆地。⑦

河决卫州及延津京东埽，弥漫至于归德府，这时黄河已脱离北流入渤海的河道，更向南移，黄河南流夺淮趋向已较明显。⑧

1188 年，宋孝宗淳熙十五年

五月，灵璧大水灾。⑨

---

① 《宿县地区志》第 14 页；《宿县县志》第 11 页；《宿州市志》第 3 页；《符离镇志》第 10 页。

② 《中国历史大事年表》第 364 页。

③ 《淮河水利简史·南宋、金、元时期淮河流域主要水旱灾统计表》第 341 页。

④ 《金史·河渠志》。

⑤ 《年表》第 365 页。

⑥ 《淮河水利简史·第五章·第一节》第 163 页。

⑦ 《年表》第 367 页。

⑧ 《淮河水利简史·第五章·第一节》第 163 页。

⑨ 《宿县地区志》第 14 页。

1194 年，宋光宗绍熙五年

河决阳武，灌封丘而东。清人胡渭以此为黄河大改道，后遂渐形成以一淮受全河之局。①

"河决阳武故堤，灌封丘而东。"洪水大溜奔流封丘，大致经长垣、曹县以南、商丘、砀山以北至徐州入泗水，从淮阴入淮河。这次决口……成为黄河长期夺淮的开端。②

河决阳武，南支由南清河（泗水）取道淮河入海，形成长期黄河夺淮入海的局面。③

1206 年，宋宁宗开禧二年

五月，宋将田俊迈进入蕲县攻宿州，宋将郭倬、李汝翼率兵继至，并围宿州，为金兵所败，退保蕲县，金兵追至蕲县，郭倬执田俊迈献于金。④

1209 年，宋宁宗嘉定二年，金绍王大安元年

春，两淮旱饥，米斗钱数千，人食草木，难民封道殣之，食尽，发胔继之，人相扼噬。流于扬州者数千家，渡江者聚建康殍死日八九十人。⑤

1215 年，宋宁宗嘉定八年，金贞祐三年

宿州属金，仍升为保靖军节度。⑥

1217 年，宋宁宗嘉定十年，金宣宗兴定元年，蒙古成吉思汗十年

金在宿州设置元帅府。⑦

1222 年，宋宁宗嘉定十五年，金兴定六年

十一月，宋兵败于蕲县。红袄军攻宿州。

拆蕲县南部置怀远军，属淮南西路，治所在荆山县（今怀远县北三里）

① 《年表》第 369 页。

② 《淮河水利简史·第五章·第一节》第 163 页。

③ 《宿县地区志》第 14 页。

④ 《宿县县志》第 11 页。

⑤ 《淮河水利简史·南宋、金、元时期淮河流域主要水旱灾统计表》第 341 页；《安徽省水旱灾历史资料》。

⑥ 《宿县县志》第 11 页。

⑦ 《宿县县志》第 11 页；《宿州市志》第 3 页；《符离镇志》第 10 页。

1232 年，宋理宗绍定五年，金天兴元年

金臣益都，于徐州兵变无归，乃奔宿州，金将阿虎不纳。镇防刘安国逃回宿州，阿虎不纳。刘遂计谋里应外合，杀死阿虎，刘安国据宿州。①

1233 年，宋理宗绍定六年，金天兴二年

二月，元兵攻取临涣，县令张若愚死。接着，进攻宿州（在此之前，宋将夏贵曾从金军手中夺取宿州、符离、蕲县等地）。宋军退保蕲县，元又调兵攻蕲县，宋兵焚城退出，三县复入元。②

1234 年，宋端平元年，金天兴三年，蒙古窝阔台哥汗六年

金亡。宿又属宋。

1254 年，宋理宗宝祐二年，蒙古哥汗四年

陈文中，宿州符离人，南宋儿科医家官，安郎判太医局，兼翰林良医。医德高尚、医术精深，盛负医名，时人称之为"宿州陈令"，名噪当时，著有《小儿病源方论》四卷；《小儿痘诊方论》一卷，提《养子十法》等。载入《中国儿科医学史》。③

1260 年，宋理宗景定元年

宿州宋将李澶叛宋降元。宋遣夏贵乘虚北来，夺宿州等地。元兵攻城，夏贵败，宿州入于元人之手。④

1262 年，宋理宗景定三年，蒙古中统三年

三月，宋将夏贵渡淮攻符离、蕲县。四月攻亳州。五月陷蕲县。九月蒙古军收复被宋军攻占的符离、蕲县。

元兵戍宿州屯田资军。⑤

---

① 《宿县县志》第 11 页。
② 《宿县县志》第 11 页。
③ 《中医大辞典·医史文献分册》，人民卫生出版社 2005 年版。
④ 《宿州市志》第 3 页。
⑤ 《安徽通史》（卷四）第 540 页；《宿县县志》第 11 页。

元

1257 年，元宪宗七年

砀山县迁回旧治，隶东平路。①

1264 年，元世祖至元元年

宿州领临涣、蕲县、灵璧、符离四县，归河南归德府。②

1265 年，元世祖至元二年

废临涣、蕲县、符离之县入宿州，废萧县、永固县入徐州，因砀山县又被水害，人口稀少，遂废砀山县，并入单县。③

废临涣县，并入宿州。④

1266 年，元世祖至元三年

五月大雨成灾，濉河流滥。

复置砀山县，属济州。⑤

1267 年，元世祖至元四年

拨宿州之灵璧县属泗州。⑥⑦

---

① 《宿县地区志》第 15 页。
② 《宿县地区志》第 15 页；《宿县县志》第 19 页；《符离镇》第 10 页。
③ 《宿县地区志》第 15 页；《宿县县志》第 12 页；《符离镇》第 10 页。
④ 《濉溪县志》第 11 页。
⑤ 《宿县地区志》第 15 页；《灵璧县志》第 1 页。
⑥ 《宿县地区志》第 15 页；《宿县县志》第 12 页。
⑦ 《灵璧县志》第 1 页。

1270 年，南宋咸淳六年，元至元七年

宿州符离人孟祺，初任应奉翰林文字，持节出使高丽，返回后，为山东西道劝农副使，主编《农桑辑要》一书。①

1271 年，南宋咸淳七年，元至元八年

以淮河、浍河、沱河、漴河、潼河交汇于五河口，置五河县（1280年）改属淮南东路泗州。②

1274 年，南宋咸淳十年，元至元十一年

土官叵（pǒ）时措，达鲁花赤普化，知州左昺始建宿州文庙。③

1275 年，元至元十二年

复置萧县，属河南行省，归德府。④

1276 年，元世祖至元十三年

拨泗州之虹县属宿州。⑤

虹、夏丘县治，隶宿州。⑥

1277 年，元世祖至元十四年

砀山大水，平地丈余。⑦

1280 年，元世祖至元十七年

复拨虹县又属泗州，灵璧属宿州。

五月，宿州蝗灾。⑧

1283 年，元至元二十年

按户口多寡定路、州、县。五万户以下为中州，宿州为中州。二万户

---

① 《二十五史人名大辞典》（下）第 286 页，中州古籍出版社 1997 年版。

② 《五河县志》第 2 页，黄山书社 2009 年版。

③ 明弘治·《宿州志》（下）第 378 页。

④ 《宿县地区志》第 15 页。

⑤ 《宿县地区志》第 15 页；《宿县县志》第 12 页。

⑥ 《泗县志》第 1 页，浙江人民出版社 1990 年版。

⑦ 《淮河水利简史·南宋、金、元时期淮河流域主要水旱灾统计表》第 142 页。

⑧ 《宿县地区志》第 15 页；《宿县县志》第 12 页。

以下砀山、萧、灵璧、虹、五河为下县。①

1291 年，元至元二十八年

元月置怀远县，隶安丰路濠州。②

达鲁花赤阿黑铁不儿，修建宿州文庙。③

改怀远军，置怀远县，属濠州，治所在今安徽省怀远县。民国属安徽省，解放战争时期至 1983 年属宿县地区。

1297 年，元大德五年

三月，归德、徐州、邳州、濉宁、鹿邑三县、河南……等县，河水泛滥漂没田庐。④

黄河多处水溢，继而决汴梁，再决杞县蒲口。⑤

1302 年，元成宗大德六年

宿州连续三年大水。⑥

1304 年，元大德八年

冬旱，迄春不雨。⑦

1305 年，元大德九年

州仁义乡龙山民家户芝二本。⑧

十一月，忠显校尉前陈州达鲁花赤兼管诸军奥鲁劝农事赫间莅宿州政事。⑨

1307 年，元大德十一年

淮水溢入泗州南门深七尺余。⑩

---

① 《安徽通史》（卷四）第 542 页。
② 《怀远县志》第 271 页，上海科学院出版社 1990 年版。
③ 弘治·《宿州志》（上）。
④ 《淮河水利简史》第 343 页；第 164 页。
⑤ 《中国历史年表》第 393 页。
⑥ 《宿县县志》第 12 页；《符离镇志》第 10 页。
⑦ 《康熙宿州志》（下）第 664 页。
⑧ 《康熙宿州志》（下）第 664 页。
⑨ 明弘治·《宿州志》（下）第 345 页。
⑩ 《淮河水利简史》第 343 页。

1308 年，元至大元年

六月，山东、江淮等郡大饥。二月汝宁、归德二路旱，蝗、民饥，给钞万锭赈之。九月，归德暴风雨。①

1324 年，元泰定帝泰定元年

黄河行故汴水，仍在徐州合泗水至清口入淮，泗州之汴口遂废，汴水涸塞，宿州埇桥废。②

1332 年，元顺帝至顺三年

宿州监郡木撒飞创建文山书院。③

1333 年，元顺帝元统元年

钟离县（今安徽凤阳县东北临淮关）达鲁花赤、濠州廉访金事，江浙行省左丞，拜枢密院史，色目人金元素（名哈剌），著有《南游寓兴集》中作有《书宿州惠义堂》诗。此集孤本今存于日本内阁文库，并盖有日本政府图书印章，并有昭和七年（1932）内阁文库藏书之印，成为该馆插架珍品。台湾地区的中央研究院院士、台湾清华大学荣誉教授萧启庆著《内北国而外中国》一书载："在明《弘治·宿州志》（1505）和《隆庆·中都志》（1572）"书中发现：金元素《书宿州惠义堂》诗为现国内仅存的一首诗。又最早刊载的珍品诗。此后，各代《宿州志》均收录刊载，对宿州历史文化古迹遗传产生重大影响。④

河决东镇，破滩而下，水势漫天，宿州境内全部受害。⑤

京、关中、河南水灾，两淮旱。⑥

---

① 《淮河水利简史》第 343 页。

② 《宿县地区志》第 15 页；《宿县县志》第 12 页；《宿州市志》第 3 页；《符离镇志》第 10 页。

③ 《安徽通史·卷四》第 487 页、第 492 页；明弘治《宿州志·卷下》高元忠《宿州监郡森撒飞德政记》《光绪宿州志·卷八》《学校志书院》。

④ 明弘治·《宿州志》《中都志》，萧启庆《内北国而外中国》（下）第 762 页，中华书局 2007 年版版。

⑤ 《宿县地区志》第 15 页；《宿县县志》第 12 页。

⑥ 《中国历史年表》第 400 页。

1337 年，元至元三年

濉水东下，漂芦舍，没麦禾。

八月不雨，至四年二月。①

1351 年，元顺帝至正十一年

六月，红巾军攻宿州未克。九月，红巾军一部复攻、入城、杀官吏。②

萧县芝麻李（李二）起兵反元，拥众十万，占徐属各县。③

1354 年，元顺帝至正十四年

置宿州义兵万户府。是年濉水决。④

1364 年，元顺帝至正二十四年

张士诚据宿州。⑤

1366 年，元顺帝至正二十六年

徐达袭破张士诚宿州守将陆聚以城降。属明《中都志·上》。⑥

明将徐达袭破张士诚，宿州守将陆聚以城降。明太祖令徐达经理江淮地区与宿州。元将扩廓复来攻宿州，被陆聚击败，并擒其金院邢端等。⑦

元宿州志辑佚："喜学问，从教化，虽兵革之余，犹有是心。"（《寰宇通志》卷九《凤阳府·风俗》)⑧

1335 年，元至元元年

马思忽，奉直西域人，由河西务重用仓监支纳，莅宿监郡

1337 年，元至元三年

大黑奴，字彬乡，高昌人，莅宿监郡。⑨

---

① 《康熙宿州志》（下）第 66 页。
② 《宿州市志》第 4 页；《宿县地区志》第 15 页。
③ 《宿县地区志》第 15 页。
④ 《宿县县志》第 12 页；《符离镇志》第 11 页。
⑤ 《宿县地区志》第 16 页；《宿县县志》第 12 页；《宿州市志》第 4 页。
⑥ 《宿县地区志》第 16 页；《宿州市志》第 4 页。
⑦ 《宿县县志》第 12 页。
⑧ 注：此为元代《宿州志》仅存的一段文字。《宋辽金元方志辑佚》（上）第 383 页。
⑨ 明弘治·《宿州志》（下）第 354 页。

明

1368 年，明太祖洪武元年

闰七月甲辰（8 月 19 日）自汴梁至宿州立驿站十，每站置马二十四匹。①

宿州改隶江南临濠府。②

置宿州迁户所，后升为宿州卫，直隶中军都督府。③

由苏州移民 2.8 万人定居五河县。④

1371 年，明洪武四年

明太祖以临濠为兴王之地，宜以傍近川县通水路漕运者隶之，宿州、灵璧、五河、怀远、萧县等九州、十八县属中都临濠府。⑤

1374 年，明太祖洪武七年

宿州属凤阳府。

设固镇驿、王庄驿。⑥

1375 年，明太祖洪武八年

砀山县改隶徐州。

---

① 《安徽通史·卷五·大事编年》第 438 页。
② 《宿县地区志》第 16 页；《宿县县志》第 12 页；《符离镇志》第 11 页。
③ 明弘治·《宿州志》。
④ 《五河县志》第 1 页，浙江人民出版社 1992 年版。
⑤ 《安徽通史·卷五》第 439 页；《宿县地区志》第 16 页。
⑥ 《宿县地区志》第 16 页；《宿县县志》第 12 页；《符离镇志》第 11 页。

1377 年，明太祖洪武十年

宿州垒石为城，加以大砖，周围六里三十步，长一千一百一十五丈，城高连垛三丈三尺。①

明太祖洪武十年，建宿州城隍庙及戏楼。②

1381 年，明洪武十四年

萧县、砀山两县属南直属徐州。③

1382 年，明洪武十五年

八月丙戌（9 月 17 日），马皇后卒。④

1391 年，明太祖洪武二十四年

修永济桥（符离桥）。⑤

在浍河上架七孔石桥，改固镇又称"固镇桥"。⑥

1402 年，明惠帝建文四年

燕王朱棣兵攻宿州。⑦

1409 年，明永乐七年

五月丁丑（6 月 18 日）改宿州千户所为宿州卫。⑧

1415 年，明成祖永乐十三年

宿州知州张敬山创修《宿州志》。已佚。⑨

---

① 《宿县地区志》第 16 页；《宿县县志》第 12 页；《宿州市志》第 4 页。
② 《宿县文化志》第 119 页。
③ 《宿县地区志》第 16 页。
④ 《安徽通史》（卷五）第 443 页。
⑤ 《宿县县志》第 12 页；《符离镇志》第 11 页。
⑥ 《固镇志》第 3 页。
⑦ 《宿县地区志》第 16 页；《宿县县志》第 12 页；《宿州市志》第 4 页。
⑧ 《安徽通史·卷五·大事编年》第 447 页。
⑨ 《宿县县志》第 12 页；《宿州市志》第 4 页。

1425 年，明乐二十三年，明仁宗洪熙元年

宿州卫奉敕选步、骑兵，遣将统领，分驻真定、德州操练，候赴京阅视。①

1452 年，明景帝景泰三年

知州黎用显修《宿州志》。已佚。②

1453 年，明景泰四年

夏六月，旱十月，至明年二月雨雪不止，东（冬）作不兴。③

1470 年，明成化六年

河南佥宪柳廷玉编纂《中都志》载："宿州，东至灵璧县界徐园铺六十里，西至永城县界新安铺一百里，南至怀远县界淝河八十里，北至萧县界胡辛庄九十里。编户五千三百二户，口四万九千四百二十六。"④

1481 年，明宪宗成化十七年

秋，淫雨伤禾，后又大旱，民饥且疫。⑤

1487 年，明成化二十三年

三月，庚申（4 月 13 日）凤阳府灵璧县地震。⑥

1489 年，明孝宗弘治二年

五月，河决黄龙岗，泛滥宿州、萧县、灵璧、泗县等地，田芦淹没，民多溺死，户部侍郎白昂奉命疏浚宿州古濉河，以分引徐州水势。⑦

京师、通州等地大雨，水溢、屋塌人死，河决开封，洪水一支决南

---

① 明光绪《宿州志》第 454 页。后宿州一带有大批军士携家带眷来到天津，由此形成了今天津方言母语的基础。《天津通史专题研究丛书》之一谭汝为《天津方言与津沽文化》第 194 页，中国国际广播出版社，天津古籍出版社 2016 年版。
② 《宿县县志》第 12 页。
③ 《康熙宿州志》（下）第 665 页。
④ 明·《中都志》（卷一）。
⑤ 《宿县县志》第 12 页。
⑥ 《安徽通史·卷五·大事编年》第 451 页。
⑦ 《宿县地区志》第 16 页；《宿县县志》第 12 页；《符离镇志》第 11 页。

岸，向东到归德，由徐邳入淮，一支决北岸，东流经曹、濮，入张秋运河。①

"五月，河决开封金龙口，入张秋运河，又决垜头五所入沁"。"南决者，自中牟杨桥至祥符界析分三支；一经尉氏县、合颍水、下涂山，入于淮；一经通、许等县，入涡河、下荆山，入于淮；又一支自归德州通凤阳之亳县，亦合涡河入于淮。北决者，自原武经阳武、祥符、封丘、兰阳、仪封、考城，其一支决入金龙口，至山东曹州、冲入张秋漕河。"②

1490 年，明孝宗弘治三年

白昂役民夫二十五万，筑堤，引决河，浚宿州古汴河与归德濉河，河患稍见缓和。③

1891 年，明孝宗弘治四年

六月濉河泛滥水抵汴堤，宿州发丁夫三万治理，至八月告竣。④

1493 年，明孝宗弘治六年

宿州大雨雪，自九月至次年二月不止。民毁房屋以柴烧。⑤

1494 年，明孝宗弘治七年

黄河正流夺汴（汉魏汴渠）入淮。使淮河承受全部黄河水，北流断绝，经两次大改道，本地区受黄河影响特重。⑥

1498 年，明孝宗弘治十一年

知州曾显重修扶疏亭。搜残碑二段，嵌于亭壁。⑦

是年，河决归德。⑧

① 《中国历史大事年表》第 433 页。
② 《淮河水利简史·明代洪涝灾害统计表》第 347 页。
③ 《中国历史大事年表》第 433 页。
④ 《濉溪县志》第 11 页。
⑤ 《宿县地区志》第 16 页；《宿县县志》第 12 页。
⑥ 《宿县地区志》第 16 页。
⑦ 《宿县县志》第 12 页；《宿州市志》第 4 页。
⑧ 《中国历史大事年表》第 435 页。

1499 年，明孝宗弘治十二年

知州曾显修《凤阳府宿州志二卷》。

时：一万八百二十九户，口一十一万二千一百五十三口。民户九千三百三十六户，单户一千四十五户。匠户二百七十三户，官户二十户，校尉户一百三十五户，力士户九户，阴阳户一十户，医户一十户，僧户一户。①

1503 年，明孝宗弘治十六年

夏四月不雨，至秋九月始雨。②

1509 年，明武宗正德四年

春夏大旱，蝗灾，田禾食尽，大饥。③

1511 年，明武宗正德六年

春杨虎起义军昼夜攻宿城，知州石玖率从固守，杨虎攻城九日，不克撤去。④

杨虎南下至义门集（在今安徽涡阳）溺死。⑤

1512 年，明武宗正德七年

刘惠、赵遂等起义军攻宿州，明将仇钺击败之。⑥

陈伯安（湖北黄陂人）重修灵璧县城。⑦

1513 年，明武宗正德八年

河决黄陵岗，自此，开封以南地区无水患，而徐、沛一带河徙无常。⑧

六月河决黄陵岗。七月决曹县娘娘庙堵口，从城北车行，曹、单、城武间，田庐漂波。秋盱眙县淮水暴涨，漂民居。⑨

---

① 《直隶凤阳府宿州志》（二卷）；宫为之《皖志史稿》第 214 页；《宿县县志》第 12 页。
② 《宿县县志》第 12 页。
③ 《宿县地区志》第 17 页。
④ 《宿县县志》第 12 页；《宿州市志》第 4 页。
⑤ 《中国历史大事年表》第 438 页。
⑥ 《宿县县志》第 12 页；《宿州市志》第 4 页。
⑦ 康熙《灵璧县志·卷八》第 294 页。
⑧ 《中国历史大事年表》第 439 页。
⑨ 《淮河水利简史·明灾害表》第 348 页。

1514 年，明武宗正德九年

丰、沛、砀大水。①

1518 年，明武宗正德十三年

淮水灌泗州，决漕堤，淹没人畜。②

1519 年，正德十四年

十一月，刘六部杨虎率众进入安徽，连破灵璧、虹县、萧城、亳州、太和、霍邱诸城。③

1520 年，正德十五年

刘元、刘士的部下赵燧再入安徽，攻凤阳、宿州、定远等地。④

1523 年，明世宗嘉靖二年

夏旱，风霾累日，秋淫雨不止，百谷不登，冬阴积月，岁大饥。⑤
泗州陨石如雨，红光铺地。⑥

1524 年，明世宗嘉靖三年

春大饥，大疫，死者枕藉，商旅、不通，人相食。⑦

1526 年，明世宗嘉靖五年

春，雨晴失时，麦寡种，夏旱，蝗灾，秋蝗遗子复生。⑧

1528 年，明世宗嘉靖七年

五月二十七日夜，有星斗，自宿州东南陨于西北，其光移时乃灭。⑨

1530 年，明世宗嘉靖九年

水利总督白昂治濉。为避免溪河、西河水在濉河之口互相顶托，堵溪

---

① 《淮河水利简史·明灾害表》第 348 页。
② 《淮河水利简史·明灾害表》第 348 页。
③ 《安徽通史·卷五·大事编年》第 453 页。
④ 《安徽通史·卷五·大事编年》第 453 页。
⑤ 《宿县县志》第 12 页。
⑥ 《宿县地区志》第 16 页。
⑦ 《宿县县志》第 13 页。
⑧ 《宿县县志》第 13 页。
⑨ 《宿县县志》第 13 页。

河入濉之口，使溪水从今溪河乡刘楼村转向东南，从黄桥村西流入濉河。①

1535 年，明世宗嘉靖十四年

濉河决于符离，南北驿路冲断十余里，弥漫成水乡。②

1536 年，明世宋嘉靖十五年

夏六月至七月淫雨不止，冬十二月至次年二月，雨雪交加，枣薪千钱，麦尽萎。③

1537 年，明世宗嘉靖十六年

四月五日戌时，宿州地震，墙壁倒塌，子时复震尤甚。④

判余旬修《宿州志》八卷，《嘉靖宿州志》。编户一万一千四百六十。民九千七百七十五，单户一千四十五，匠户二百三十一，杂役户一百二十四、口一十二万二千三百二十五，男七万六千八十四，女四万六十二百四十一。校尉户一百三十五，医户一十四，阴阳户七，僧户一，官户二十，徐王坟户九十九。⑤

十六年四月初五，地震，震中在大庙一带。有房屋倒塌。⑥

1545 年，明嘉靖二十四年

灵璧县知县杜冠时首次纂修《灵璧县志》。⑦

1547 年，明世宗嘉靖二十六年

七月，徐、萧、砀大水（二十七、八、九及三十年，徐萧均大水）。⑧

1554 年，明世宗嘉靖三十三年

河南农民起义军师向绍围攻宿州。⑨

---

① 《濉溪县志》第 11 页。
② 《宿县地区志》第 17 页；《宿县县志》第 13 页；《符离镇志》第 11 页。
③ 《宿县县志》第 13 页。
④ 《宿县地区志》第 17 页；《宿县县志》第 13 页；《宿州市志》第 5 页；《符离镇志》第 11 页。
⑤ 《宿县县志》第 13 页。
⑥ 《灵璧县志》第 2 页。
⑦ 《灵璧县志》第 2 页。
⑧ 《淮河水利简史·明水灾统计表》第 349 页。
⑨ 《宿州市志》第 5 页；《宿县县志》第 13 页。

1562 年，明世宗嘉靖四十一年

砀山县，城圮于河（旧城池，在城东里许，是年迁治小神集。四十四年复通旧治，万历二十年迁今治）。①

1565 年，明世宗嘉靖四十四年

砀山县迁回原址。②

1568 年，明穆宗隆庆二年

五月初一，宿州尽晦如暝。八月二十三日，有流星大如斗，光烛天地，自西北至江南止，响声移时乃止。③

1577 年，明神宗万历五年

河又决崔镇，宿、沛、清、桃两岸多坏，黄河淤垫，淮河被河水所迫、南移。时淮安、凤阳二府灾多，民多逃之，二千里都成灌莽。④

河复决崔镇，宿、沛、清、桃两岸多坏，黄河日淤垫，淮水为河所迫，徒而南。⑤

黄河在砀山崔家道口溃决，萧县城没于黄水迁至三台山南今址。⑥

八月河决沛县，两岸多毁，大水坏萧城，知县伍维翰申请上疏发帑迁新治于三台山之阳，即今址。⑦

1579 年，明神宗万历七年

连续三年大旱，民以草根树皮充饥。⑧

"五月……凤阳、徐州大水。八月、又水……"⑨

---

① 《淮河水利简史·明水灾统计表》第 349 页；《宿县地区志》第 17 页。
② 《宿县地区志》第 17 页。
③ 《宿县县志》第 13 页。
④ 《中国历史大事年表》第 454 页。
⑤ 《淮河水利简史·明水灾统计表》第 351 页。
⑥ 《宿县地区志》第 17 页。
⑦ 《萧县志》第 48 页。
⑧ 《宿县地区志》第 17 页。
⑨ 《淮河水利简史·明水灾统计表》第 352 页；《明史·五行志》第 60 页。

1593 年，明神宗万历二十一年

河决虞城，符离堤桥俱溃，宿州半为泽国，灵璧城墙多倒塌。次年民多流之。①

1595 年，明神宗万历二十三年

知州崔惟岳疏浚城河，内种荷花，两岸植杨柳。②

1596 年，明神宗万历二十四年

知州崔惟岳修《宿州志》二十九卷。

编户一万一千四百六十，民户九千七百七十五，单户一千四十五，匠户二百三十，杂役一百二十四，校役户一百二十五，力士户九，医户一十四，阴阳户七，僧户一，官户二十，徐王坟户九十九。口一十三万二千三百二十五，男六千八十四，妇六千二百四十一。③

1598 年，明神宗万历二十六年

砀山县城又遭大水，荡然如洗，万历二十八年在旧城西一里许秦家堂重建新城，城墙高大五尺，基宽三丈，可抗洪御灾。④

1610 年，明神宗万历三十八年

发生旱灾、蝗灾，禾苗枯死。捕蝗，捕蝗一石，给粮一石。⑤

1612 年，明神宗万历四十年

彗星见于东北，形如帚，光如电，长数十丈。⑥

1618 年，明神宗万历四十六年

淫雨，秋旱蝗虫、青虫并起，食禾殆尽，岁大饥。⑦

---

① 《宿县地区志》第 17 页；《宿县县志》第 13 页；《符离镇志》第 11 页。
② 《宿州市志》第 5 页；《宿县县志》第 13 页。
③ 《宿县县志》第 13 页。
④ 《宿县地区志》第 17 页。
⑤ 《宿县县志》第 13 页。
⑥ 《宿县县志》第 13 页。
⑦ 《宿县县志》第 17 页。

1620 年，明神宗万历四十八年

八月八日晡，日下有数黑点摩荡，良久不散。①

1621 年，明嘉宗天启六年

夏，大雨，黄河泛滥，黄水顺濉河故道东流，萧、宿、灵、泗等地深受其害。②

河决灵璧双沟，黄铺……③④

1622 年，明嘉宗天启二年

山东白莲教起义、欲攻宿州，知州李齐松率众守城，日夜不懈，且颍州道移镇宿州，起义军知有备，未攻乃去。⑤

符离徐溪（濉溪）爆发中国历史上第一次大规模的矿工反抗斗争。⑥

1634 年，明思宗崇祯七年

春，地震。越九日又震，东南白气如练。⑦

六月，黄河决堤，民房多被毁，人畜伤亡无数。⑧

1635 年，明思宗崇祯八年

秋，有群鸟飞，自北而南，其色类鹜，其趾如兔，野宿群体，遍宿州境，人称为沙鸟。⑨

1636 年，明思宗崇祯九年

正月，高迎祥起义军攻滁失利后，退灵璧等地休整，补充粮草，欲攻宿州，训导廖文义率众御之，起义军未攻城，过宿境北上。⑩

---

① 《宿县县志》第 17 页。
② 《宿县地区志》第 17 页。
③ 《中国历史大事年表》第 464 页。
④ 《淮河水利简史·明水灾统计表》第 345 页。
⑤ 《宿县地区志》第 17 页；《宿县县志》第 13 页。
⑥ 《安徽通史·卷五》第 148 页、第 458 页。
⑦ 《宿县县志》第 17 页。
⑧ 《宿县地区志》第 17 页。
⑨ 《宿县县志》第 13 页。
⑩ 《宿县地区志》第 17 页；《宿县县志》第 13 页；《宿州市志》第 5 页。

七月，有大星西陨，如电如雷。①

1637 年，明崇祯十年

正月九日，文庙古桧吐烟若篆，异香袭人。学正王域尊令再疏浚城河。依城抵抗农民起义军。②

1638 年，明崇祯十一年

三月起义军袁营攻宿州，不克而去。

1641 年，明崇祯十四年

宿州人面出痘疹、大疫，人口百不存一。③

1642 年，明思宗崇祯十五年

萧县程继孔踞梧桐山，与土导善、张方远啸聚山林、道路不通，被宿州知州张宏假招安，发免死牌，诱至城里尽杀之。④

1643 年，明崇祯十六年

州人任柔节修《宿州志》（仅成志稿）。

1644 年，崇祯十七年

黄得功击袁营起义军于宿州濉溪口东黄疃桥、夹沟，双方互有胜败。⑤

相城任柔节，《光绪·宿州志·卷十八·儒林》记载：蕲城周廷栋纂成《崇祯宿州志》稿。是老似私家所撰，有《定子诗文集》《光绪·宿州志卷首》《旧志纂修姓氏》有载。⑥⑦

---

① 《宿县地区志》第 17 页；《宿县县志》第 13 页。
② 《宿州地名古今谈》第 44 页，黄山书社 1993 年版。
③ 《宿县县志》第 13 页。
④ 《宿县县志》第 13 页；《宿州市志》第 5 页。
⑤ 《宿县县志》第 14 页。
⑥ 宫为之《皖志史稿》第 214 页，安徽人民出版社 1997 年版。
⑦ 注：蕲城周氏廷栋，号豫章，甲申恩贡，能诗善文，未见任官之说，后入清朝。任柔节，字定子，号九甘，崇祯甲申选贡，入清朝绝意仕进。隐居相山之麓，积书七千余卷，闭户研素，淹贯古今，远近有"桓君山"之称，"同时钟陵熊次候、合肥龚之麓、昆山徐立斋、金坛蒋虎臣诸钜公皆器重之"。

清

1645 年，清顺治二年

三月，南明总兵王之纲退走宿州，多铎率清军占取宿州。①

宿州归属江南布政使司。②

1648 年，清顺治五年

秋宿州有虫类小蝻，食木黍殆尽。

1649 年，清顺治六年

十月，朔辛巳，日食，既星见鸡鸣。③

1650 年，清顺治七年

七月萧县河溢，八、九月大雨水。④

1651 年，清顺治八年

二月十五日，宿州地震。⑤

1652 年，清顺治九年

河决荆隆口，继以淫雨烂麦伤禾。⑥

---

① 《安徽通史·卷六》第 11 页。
② 《宿县县志》第 14 页。
③ 道光·《宿州志》（下）第 743 页。
④ 《淮河水利简史·水灾表》第 355 页。
⑤ 《康熙志》第 672 页；《宿县县志》第 14 页；《濉溪县志》第 11 页。
⑥ 道光《宿州志》（下）第 743 页。

1653 年，清顺治十年

九月，海时行兵叛，由睢宁、宿迁、灵璧、虹县至宿州，知州刘明世严加防守，叛兵知有备，未敢攻城，过宿趋砀山永城。①

1654 年，清顺治十一年

十月，河决荆隆口，继以淫雨，宿州北部受灾。②

1655 年，清顺治十二年

夏，宿州淫雨二月，大饥。③

1659 年，顺治十六年

大雨二十余日，水涨河决，芦舍漂没，岁大饥。④

1661 年，清顺治十八年

宿州属凤阳左布政使司，仍辖灵璧一县。

大水，十月，彗星见。⑤

1667 年，清康熙六年

分江南为江苏、安徽两省。洪泽湖东，北属江（南）苏省淮安府，洪泽湖西，南即泗州，属安徽省凤阳府。分置安徽承宣布政使司，以宿州之灵璧归属凤阳。从此，宿州无辖县。⑥

是年，萧县属江苏承宣布政史司。⑦

1668 年，清康熙七年

六月十七日，凤阳大地震，波及宿州，毁坏民房，伤人无数。是岁大饥。⑧

---

① 《宿县县志》第 14 页。
② 《宿县县志》第 14 页。
③ 《淮河水利简史·水灾表》第 355 页。
④ 道光《宿州志》第 743 页。
⑤ 《宿县地区志》第 18 页；《宿县县志》第 14 页。
⑥ 《中国历史大事记》第 481 页；《宿县地区志》第 18 页；《宿县县志》第 14 页。
⑦ 《宿县地区志》第 18 页；《萧县志》第 5 页。
⑧ 《宿县地区志》第 18 页；《宿县县志》第 14 页；《宿州市志》第 5 页。

河决宿县磨儿庄、蔡家楼。①

1670 年，清康熙九年

冬，大雪，人畜多有冻死。②

1671 年，清康熙十年

王功九等掠大店、固镇、王庄驿马匹，被把总李定侯平定。

是年，夏旱、蝗灾，冬大雪，民饥。

是年，彗星见西南，长数丈，两月方没。③

1672 年，清康熙十一年

夏秋之间，连降暴雨，车城倒塌，知州吕云英监修之，钳石于底，盘砖于上，以新灰浓汁灌之，为永久计。④

秋，决萧县两河口。宿虹及五河县大水。⑤

1673 年，清康熙十二年

灵璧知县马啸修筑灵璧城城墙，并在此县编《译史》百六十卷，始编《灵璧县志》于次年，吴嵩纂修完成。⑥

1674 年，清康熙十三年

河决砀山毛城铺，宿州北境秋无禾。⑦

1677 年，清康熙十六年

河又决毛家铺，砀、萧及宿州大水，民多巢居。⑧

1678 年，清康熙十七年

河决萧县。⑨

---

① 《淮河水利简史》承《清史稿·河渠志》第 356 页。
② 《宿县县志》第 14 页。
③ 《宿县县志》第 14 页。
④ 《宿州市志》第 5 页；《宿县县志》第 14 页。
⑤ 《清史稿·河渠志》；《淮河水利简史·水灾表》第 356 页。
⑥ 《灵璧县志》第 3 页。
⑦ 《宿县县志》第 14 页；《淮河水利简史·水灾表》第 357 页。
⑧ 《淮河水利简史》第 357 页；《宿县县志》第 14 页；《宿县地区志》第 18 页。
⑨ 《淮河水利简史·水灾表》第 357 页。

1679 年，清康熙十八年

宿州大水。①

淮水倒涨，泗州城中水深丈余。②

1680 年，清康熙十九年

淮河上游山洪暴发，洪泽湖决堤，泗州城陷洪泽湖中，泗州寄治盱眙城。

1981 年，清康熙二十年

连年河决岁饥，民多流亡。

1682 年，清康熙二十一年

于成龙，北溟汾阳人总督两江，创立虹桥书院。③

1685 年，康熙二十四年

修筑灵璧县黄河南岸堤二万四千六百余丈。④

1689 年，康熙二十八年

修筑灵璧境内漫堤四十余丈，修筑徐州黄河南岸自萧县至灵璧堤土一万六千余丈。⑤

1699 年，康熙三十八年

耶稣会传教士比利时人卫方济来五河地区传教。

是年，修筑虹县堤工五百丈。⑥

1700 年，清康熙三十九年

宿州大雨水，河决数处，总河张鹏翮开海口、去梅花桩，河患得息。⑦

---

① 《淮河水利简史》；《凤阳旧府志》第 357 页。
② 《宿县地区志》第 18 页。
③ 光绪《宿州志·卷十一》第 216 页。
④ 《安徽通史》（卷七）第 917 页。
⑤ 《安徽通史》（卷七）第 916 页。
⑥ 《安徽通史》（卷七）第 947 页。
⑦ 《宿县县志》第 14 页。

夏、秋，颍、泗、淮扬及邳、宿、睢等处大水。①

1704 年，清康熙四十三年

四月徐文江妻王氏一户三男。

八月郭梅妻孙氏一户三男。俱详极给布粟。②

1709 年，清康熙四十八年

宿州大雨，水暴涨，田庐淹没，岁大饥，草根树皮食尽，斗米千钱，道殣相望。③

亳州、太和、颍州、颍上、宿州、灵璧俱大水。④

1712 年，清康熙五十一年

春，宿州大旱，树头生火，风霾障日，白昼如夜。⑤

1718 年，清康熙五十七年

知州董鸿图修《宿州志》十二卷。

户口人丁三万二千六百五十丁。地亩六万八十七顷九十七亩。⑥

1726 年，清雍正元年

九月初七，冰雹如卵，大者如拳。

是年，九月中旬，河决毛城铺，黄水浸滩、浸溢宿州北部。⑦

1733 年，清雍正十一年

砀山、萧县属江苏省徐州府。⑧

1735 年，清雍正十三年

十一月宿州地震。⑨

---

① 《淮河水利简史·水灾表》第 358 页。
② 道光·《宿州志》（下）第 745 页。
③ 《宿县县志》第 14 页。
④ 《淮河水利简史·水灾表》第 358 页。
⑤ 《宿县县志》第 14 页。
⑥ 《宿县县志》第 14 页。
⑦ 《宿县县志》第 14 页；《濉溪县志》第 12 页。
⑧ 《宿县地区志》第 18 页。
⑨ 《宿县县志》第 14 页；《濉溪县志》第 12 页。

1736 年，清乾隆元年

黄河堤溃决口，黄水泛滥，宿州禾田淹没。①

四月，河水大涨，由砀山毛城铺闸口汹涌南下，堤多冲塌，潘家道口平地水深三、五尺。②

宿州知州尤拔世征发民二万浚濉河。③

1738 年，清乾隆三年

宿州知州尤拔世详请批准，开濉河濉溪口。将符离倒塌的石桥改造成浮挤，水势舒畅。④

1741 年，清乾隆六年

八月彗星见，十月灭。秋，大水。冬，民大饥。⑤

颍州、太和、颍上、霍邱、亳州、蒙城、宿州、灵璧、虹县、五河、泗州、盱眙均大水。⑥

1742 年，清乾隆七年

知州王锡蕃修《宿州志》。

是年，五月十九日，飙风猝起，淫雨弥月，无禾大饥。⑦

1749，清乾隆十四年

冬十月二十九日双堆集降陨星一颗。⑧

亳州、灵璧、泗州一带均大水。⑨

1751 年，清乾隆十六年

知州王锡蕃缮修谯楼一座。

---

① 《宿县县志》第 14 页。
② 《淮河水利简史》；《清史稿·河渠志》第 359 页。
③ 《濉溪县志》第 12 页。
④ 《宿县县志》第 14 页。
⑤ 《淮系年表》；《宿县县志》第 14 页。
⑥ 《淮河水利简史·水灾表》第 359 页。
⑦ 《宿县县志》第 15 页。
⑧ 《宿县县志》第 15 页。
⑨ 《淮河水利简史·水灾表》第 360 页。

1752 年，清乾隆十七年

疏浚宿州濉河、彭家沟，泗州谢有沟，虹县汴河，修州符离桥，灵璧县新马桥、砂礓河之黄疃挤、翟家桥，使河、渠、圩配套。①

砀山知县梅云程创建安阳书院，乾隆五十九年迁城外北土山，改称北山书院。②

1755 年，清乾隆二十年

乙亥夏，凤属宿，灵、虹大水，居民争赴汴堤避之。③

1756 年，清乾隆二十一年

大饥、大疫，道殣相望。④

1775 年，清乾隆四十年

春，浚宿、灵、虹境濉河、南北胫骨河沤河，又浚淮安山子湖，渔滨河、市河、涧河。⑤

1777 年，清乾隆四十二年

抚臣闵鄂元奏请迁泗州治于虹县，并虹县入泗州，初称泗虹州，原虹县降为虹乡。

泗、虹两境户口合并开报，计 136141 户、588112 口。⑥

裁虹归泗，泗州迁治虹城，是为新（泗）州（虹地改称虹乡），旧泗州称泗地。⑦

1785 年，清乾隆五十年

四月初十，黑风从西北来，尽晦，自未时至戌时腥气袭人。

自五月至冬不雨，岁饥，人相食。⑧

---

① 《安徽通史》（卷七）第 949 页。
② 《宿县地区志》第 18 页。
③ 乾隆《灵璧县志略·卷四·艺文》第 93 页。
④ 《宿县县志》第 15 页。
⑤ 《淮河水利简史》第 271 页。
⑥ 《泗洪县志·大事记》第 15 页。
⑦ 《泗县志》第 2 页。
⑧ 《宿县地区志》第 18 页；《宿县县志》第 15 页。

1786 年，清乾隆五十一年

知州赵霖捐廉置民房，创建"培菁书院"（今行署大院）。①

1790 年，清乾隆五十五年

黄河大溢，宿州隋堤以北庐舍尽没，民多露外巢居。知州姚时，疏浚北股河，中段南移 1.5 公里至九孔桥，仍归故道。②

1802 年，清嘉庆七年

十二月初一，白莲教徒王朝各率白莲教起义军，乘夜攻进宿州城，袭杀知州章鼎、营都司杨全、卫守备金振等，放火劫狱，城遂陷。署皆毁。十二月初八离去。③

1805 年，清嘉庆十年

蒙城人刘茂修等起义，两江总督坐镇宿州，镇压起义军。④

李玉清知宿州。

1807 年，清嘉庆十二年

二月十八日，宿州黄飙起，树木有火光。⑤

1810–1819 年

宿州连续九年大水。⑥

1811 年，清嘉庆十六年

黄河决，宿州北乡田庐尽被淹没。⑦

1812 年，清嘉庆十七年

黄河又决，水由涡河下注，宿州西南境田庐尽被淹没。⑧

---

① 《宿县地区志》第 18 页；《宿县县志》第 15 页；《宿州市志》第 5 页。
② 《宿县地区志》第 18 页；《宿县县志》第 15 页；《宿州市志》第 7 页。
③ 《宿县地区志》第 19 页；《宿县县志》第 15 页；《宿州市志》第 7 页；《光绪·宿州志》第 86 页。
④ 《宿县地区志》第 19 页；《宿县县志》第 15 页。
⑤ 《宿县县志》第 15 页。
⑥ 李修松《淮河流域文化史研究》第 441 页。
⑦ 《宿县县志》第 15 页。
⑧ 《宿县县志》第 15 页。

1814 年，清嘉庆十九年

知州刘用锡筑护城堤、自西关至东关绵亘4.5公里有奇。①

1817 年，清嘉庆二十二年

疏浚宿州北股河，厢筑正睢河南堰。②

1819 年，清嘉庆二十四年

四月三十日地震，地上有声如雷，自东北来，移时方定，数日复震。③

1821，清道光元年

宿州大疫，人死过半。十室九空。④

宿州修睢堤，挑南股河。⑤

1823 年，清道光三年

挑宿灵境内北股河，筑南堰，修正睢河西堰。⑥

1824 年，清道光四年

夏六月，宿地大旱，蝗虫遍野。幸有群鸭和蛤蟆争食殆尽，禾苗获存。⑦

1825 年，清道光五年

苏元璐修《宿州志》四十二卷。

编户十五万九千七百七十四户，男妇大小九十一万一千九百九十口。⑧

1840 年，清道光二十年

第一次鸦片战争爆发。⑨

---

① 《宿州市志》第6页；《宿县县志》第15页。
② 《淮河水利简史》第271页。
③ 《宿县地区志》第19页；《宿州市志》第6页；《宿县县志》第15页。
④ 《宿县地区志》第19页；《宿县县志》第15页。
⑤ 《淮河水利简史》第272页。
⑥ 《淮河水利简史》第272页。
⑦ 《宿县地区志》第19页；《宿县县志》第15页。
⑧ 清·道光《宿州志·卷八》第205页；《宿县县志》第15页。
⑨ 《宿县县志》第15页。

1842 年，清道光二十二年

宿州大水，州北百余里平地水深数尺。田禾房屋，尽没水中。天然闸、十八里闸同时开启，水如建瓴而下。①

1843 年，清道光二十三年

筹款修正谊书院。是年宿民大饥。②

1846 年，清道光二十六年

宿州州同赖以平首创古濉书院，咸丰五年遭兵灾毁废。③

1847 年，清道光二十七年

宿地秋旱。

1851 年，清文宗咸丰元年

七、八月黄河在丰县、丰北及砀山盘龙集决口，冲入昭阳、微山等湖。鱼台、金乡、济宁、巨野等州县受灾。④

1852 年，清咸丰二年

夏，淫雨两月，西乡、北乡禾苗尽被淹没，宿州全歉收。

冬，亳州、蒙城、宿州等淮北地，捻军活动频繁。⑤

1853 年，清咸丰三年

正月二十六日，清王朝派周天爵驻宿州，欲招捻党首张乐行，以御太平军，张乐行不受、回雉河集起义。⑥

四月，太平天国北伐军林凤祥、李开芳部经宿州西境北上。⑦

宿州知州郭世亨在城东北隅加修炮台。⑧

---

① 《宿县地区志》第 19 页；《宿县县志》第 15 页。
② 《宿县县志》第 15 页。
③ 《濉溪县志》第 12 页。
④ 《淮河大事记》，科学出版社 1997 年版。
⑤ 《宿县县志》第 15 页。
⑥ 《宿县县志》第 15 页。
⑦ 《宿县地区志》第 19 页。
⑧ 《宿州市志》第 6 页。

三和集李允、罗集万小牛聚众起义，散大户钱粮救济贫苦农民。①

1854 年，清咸丰四年

太平天国北伐援军一部由蒙城经宿州西境到萧县，北上山东临清。②

二月，太平天国后援部队数万人进驻黄口至砀山境内，连营数十里，六天后渡河北上。③

1855 年，清咸丰五年

黄河在兰考瓦厢决口北移。本区黄河故道渐淤。④

秋，捻军蓝旗首领夏白在南坪起义，屡败清军。十一月，捻军首领张乐行攻克濉溪口，由西二铺、临涣回雉河集。⑤

秋，任集人夏白于南坪集结捻起义，为蓝旗首领之一。

十月，清头等待卫容照率吉林骑兵进攻夏白起义军，战败。宿州知州李芬令团练在南坪一带抵抗义军，又败，夏白军威大振。

十一月，捻军首领张乐行率兵攻占濉溪口，后回兵攻取临涣。

是年，濉溪口沿水圩筑土城。⑥

1856 年，清咸丰六年

全省大旱，淮北遍野如焚，沟荡无水，飞蝗遮天，淮南运河断流，河湖枯竭，卤湖倒流入兴北境，飞蝗、土蚕同时为害。范围之广，灾情之重，甚于乾隆五十年。⑦

正月初八，捻军蓝旗首领夏白、任乾率众与清军战于城南三里湾，清军败，捻军围城，至十九日撤退。

二月，捻军李大喜、夏白、任乾、黄凤等部又集军宿州，与清兵战于芦沟，次日又战于孙疃。

---

① 《濉溪县志》第 13 页。
② 《宿县县志》第 15 页。
③ 《宿县地区志》第 19 页。
④ 《宿县地区志》第 19 页。
⑤ 《宿县县志》第 15 页。
⑥ 《濉溪县志》第 13 页。
⑦ 《通志》卷三五〇；《淮河水利简史》第 367 页。

四月，捻军夏白率军攻宿州不克。又战于瓦子口，受创，夏白于四月十一日遇害。

五月，清军进攻临涣，捻军因寡不敌众败退，捻军将领纪学中战死。

七月，张乐行夜袭临涣清兵营，遂占据临涣。

九月，捻军攻占宿境濉溪口。

十一月，捻军与清军战于浍河桥。

是年，大旱，飞蝗蔽野。①

1857 年，清咸丰七年

本地区各地飞蝗蔽天，官府督民扑打。②

春，大饥，米珠薪贵，卖儿女者无数。

二月，捻军攻克大店。

五月，捻军攻战宿境王家留。

七月，张乐行率兵第三次袭取临涣，杀清军披甲武浚云，多隆武，清军败退瓦子口。

八月初一，捻军罗和尚与清兵战于龙山集。

九月，捻军将领夏红率兵攻克濉溪口。③

1858 年，清咸丰八年

正月二十三日，捻军与清兵大战于百善集，清兵败。尔后在柳子、铁佛一带与清兵战数月。④

三月，捻军进占时村。

宿州南门外，火灾延烧数百家。

四月，宿州城隍庙火灾，延烧数十家。

六月，捻军占据宿州南境王家圩。清左副都御使袁甲三驻军宿州。

八月，捻军孙贵心与清兵战于濉溪口，清兵败。

---

① 《宿县地区志》第 19 页；《宿县县志》第 16 页；《濉溪县志》第 13 页。
② 《宿县地区志》第 19 页。
③ 《宿县县志》第 16 页；《濉溪县志》第 13 页。
④ 《宿县县志》第 16 页；《濉溪县志》第 13 页。

九月，捻军攻占小时村寨。①

1859 年，清咸丰九年

正月，张乐行率捻军攻泗州，不克。②

二月，捻军与清兵战于袁集。

三月，陆连科等所率捻军与清兵战于毕圩，任乾战死。③

四月，清军苗沛霖部袭击捻军李大喜部，两军交战于五沟集，捻军胜。④

五月初，捻军李大喜，攻清兵于大营镇，清军惨败。

五月下旬，宿州城河南街火灾延烧数十家，西门火灾延烧数百家。⑤

五月二十七日（丙申），捻军攻占泗州西关王庙、王家圩。⑥

七月，淫雨不止，虞、砀、永、夏之水建瓴而下，宿州北部数十集受害。⑦

1860 年，清咸丰十年

夏，大水，城内东北隅泡倒房屋无数。

八月，捻军孙贵心攻占宿北灵鹫寺。

十一月，捻军刘天祥攻占宿北解家集。⑧

1861 年，清咸丰十一年

正月，苗沛霖叛清，宿城苗党遭清兵镇压，苗沛霖部会合捻军攻宿城，未克而去。

四月二十七日，捻军李成、任福德等，围攻宿州城，八日之久未克，于五月五日撤走。⑨

---

① 《宿州市志》第 6 页；《宿县县志》第 16 页；《濉溪县志》第 13 页。
② 《宿县地区志》第 19 页。
③ 《宿县县志》第 16 页。
④ 《濉溪县志》第 13 页。
⑤ 《宿县县志》第 16 页。
⑥ 《泗县志》第 2 页。
⑦ 《宿县县志》第 16 页；《宿州市志》第 6 页。
⑧ 《宿县县志》第 16 页。
⑨ 《宿州市志》第 6 页；《宿县县志》第 16 页。

1862 年，清同治元年

捻军逼近宿州，屯城四隅，月余始退。

四月，捻军攻破奶奶山寨。

五月，捻军攻破宛城山寨（在今栏杆区）。

六月，捻军任福德围攻二郎山寨，清军全部被歼。宿境先旱灾，后蝗灾。①

1863 年，清同治二年

正月刘六福、扬瑞英、王怀义等降清。

二月，捻军首领张乐行与清军战于符离。后住李勤邦圩中，为李勤邦、刘天祥、张慎德、王凤朝、罗克有等诱捕，并其子张喜、义子王宛儿均壮烈牺牲。②

1864 年，清同治三年

拨宿州西南十九集入新建置的涡阳县。③④

是年，修葺宿州正谊书院。⑤

1865 年，清同治四年

正月，捻军由山东回湖沟。⑥

1866 年，清同治五年

苗沛霖地主武装苗馨部在灵璧县东南境内抢粮，骚扰百姓。捻军蓝旗首领任柱、太平天国遵王赖文光率部会同攻克灵璧。一日后，复与清军战于宿州任桥，败、撤离。⑦

---

① 《宿州市志》第 6 页；《宿县县志》第 16 页。
② 《宿县地区志》第 19 页；《宿县县志》第 16 页。
③ 史州《安徽史志综述》第 456 页，安徽教育出版社 2002 年版。
④ 光绪《涡阳县志·卷八》记载的十九集名：1. 新兴集；2. 宝塚集；3. 瞳兴集；4. 龙山集；5. 丹城集；6. 崔家集；7. 太清宫；8. 青塚集；9. 西顺河；10. 殷家河；11. 尚义集；12. 青瞳集；13. 曹市集；14. 古桥集；15. 双沟集；16. 石弓山；17. 道竹桥；18. 大刘村；19. 柴村庙。
⑤ 《宿县地区志》第 20 页；《宿县县志》第 16 页。
⑥ 《宿县县志》第 16 页。
⑦ 《宿县地区志》第 20 页。

夏，宿州、泗州及泰州、凤阳、五河、盱眙等处大水成灾，五河县乘舟入市。①

春，疏浚奎河，自石相以下七百七十丈。

四月，捻军任柱、太平军赖文光联合攻泗州、灵璧、固镇、宿州后与清军大战于任桥。②

1868 年，清同治七年

疏浚南股河，从梁家坝到观音堂计长八十五里。③

1876 年，清光绪二年

春，大旱。④

闰五月二十九日，宿州捻军首领旷同（况童）、接小猴（席晓候），在封山（今濉溪县宋疃）竖旗起义。六月一日攻克百善集，二日克柳子集、铁佛集，六月初七旷同被圩董诱缚，接小猴逃脱。十月败走肖地。⑤

1878 年，清光绪四年

宿州灾民病死无地埋葬，在西关老龙潭东首，开义冢地一片。

1880 年，清光绪六年

知州何庆钊于宿州开设牛痘局。幼儿免费接种牛痘。

九月十日，宿州南门口火灾，延烧数百家。

是年，宿州设立水龙会，以防火灾。⑥

1883 年，光绪九年

宿县淫雨，虞、砀、永夏之水，建瓴而下，东北时村等禾尽淹没，驿冲决二十里。⑦

---

① 《安徽通志》卷三五〇；《淮河大事记》第 76 页。
② 《宿县县志》第 17 页。
③ 《宿县县志》第 20 页。
④ 《濉溪县》第 14 页。
⑤ 《宿县地区志》第 20 页；《宿县县志》第 17 页。
⑥ 《宿县地区志》第 20 页；《宿州市志》第 6 页；《宿县县志》第 17 页。
⑦ 《清代淮河中上游较大洪涝灾年史料汇编》奏折，中华书局 2005 年版。《水利·简史》。

1886 年，清光绪十二年

六月，飞蝗入境遍地遗子，挖捕获二月。①

1887 年，清光绪十三年

宿州创设因利局。于州署设立善堂，开办善事六则（一、保婴；二恤嫠；三、惜字；四、馈药；五、施棺；六、掩骼）。②

1889 年，清光绪十五年

宿州知州何庆钊修《宿州志》三十六卷，十六册。

户口人丁三万九百八十四丁。③④

1898 年，清光绪二十四年

全宿境大饥，人相食，发仓粟赈济。⑤

1899 年，清光绪二十五年

春旱，到农历五月才落雨，秋禾方得种。

1902 年，清光绪二十八年

法籍人侯晋康，受上海教区派遣，来宿城传布天主教，在药店巷设立教堂。⑥

1904 年，清光绪三十年

李永丰等人在烈山西麓设一小型发电机组，供烈山煤矿采煤用，这是宿州有发电设备之始。

1905 年，清光绪三十一年

三月十三日，宿州创设习艺所，收容流民。

是年，宿城始设邮局，在睢阳驿，隶南京总局。

---

① 《宿县县志》第 17 页。
② 《宿州市志》第 6 页；《宿县县志》第 17 页。
③ 《宿县地区志》第 20 页；《宿县县志》第 17 页。
④ 丁：指丁口。《清史稿食货志一》："凡民，男曰丁，男十六岁为丁，丁口系于户。"
⑤ 《宿县地区志》第 20 页；《宿县县志》第 17 页。
⑥ 《宿州市志》第 6 页。

清政府下诏："停科举以广学校，改正谊书院为高等小学堂。"

举人王鸿弼等人主持下，在砀山安阳书院处办高等小学堂。①

1906 年，清光绪三十二年

在东门大街英公祠内创设志成师范学堂。堂长孔跃廷，三年后停办。

五月初至十月，阴雨连绵，小麦霉烂，秋不得种，全宿境大饥。

清政府颁发劝学令，各县设立劝学所。

官商合办烈山小花山煤矿，称合众煤炭公司，周纯秀任总办。②

1907 年，清光绪三十三年

同盟会员，早年毕业于日本早稻田大学的宿州符离人王雪渔，在金公祠创办幼幼两等小学。

废古濉书院，就其院址改设广育高等小学堂。同时在临涣镇设立敬业高等小学堂。

美国基督教北长老会，派遣美籍人罗炳生（Robistine），至宿城传播基督教。③

1908 年，清光绪三十四年

春，荒。秋，淹禾过半。

为修筑津浦铁路，英国人在符离黄山头建立采石场，此为宿州较早具有一定规模的工厂。④

1909 年，清宣统元年

英国人在宿城东关设立大同蛋厂。后改名"元丰打蛋厂"。⑤

淮北大水灾，泗县五至七月淫雨及客水涌注，水翻汴堤，平地行舟，

---

① 《宿县地区志》第 20 页；《宿州市志》第 6 页；《宿县县志》第 17 页。
② 《宿县地区志》第 20 页；《宿州市志》第 6 页；《宿县县志》第 17 页；《濉溪县志》第 14 页。
③ 《宿县地区志》第 21 页；《宿州市志》第 6 页；《宿县县志》第 17 页；《濉溪县志》第 14 页。
④ 《宿县地区志》第 21 页；《宿县县志》第 17 页。
⑤ 《宿县地区志》第 21 页；《宿县县志》第 17 页。

麦收在场，未打清，多霉烂，秋收微。①

1910 年，清宣统二年

六月二十六日，连下三天大雨，平地水深数尺，秋禾全被淹没。接着又是连绵阴雨，直到八月十五日才止。城内及四部房屋倒塌甚多，尤以小河南街西首最甚，居民死亡二百余人。②

夏末，蝗灾，蝗群起蔽日如夜，所过田禾尽。秋，大水。③

宿州、灵璧等地大雨水涨、堤决淹田。④

是年，豫、皖、苏大水。宿州、灵璧大雨水涨，堤决淹田。⑤

怀远内水及涡河大水，倒灌破堤泛滥成灾。水逝后补种，秋作物收成较好。⑥

1911 年，清宣统三年

宣统三年正月二十四，安徽巡抚宋家宝奏称："皖北宿州、灵璧、怀远、凤阳、凤台、蒙城、亳州、涡阳、颍上、五河等州县，洼下田禾悉被淹没，圩堤多被冲溃，民情困苦。然仅皖北宿州等八州县情形较重，其余各处，均系勘不成灾。"⑦

公历 10 月 10 日，辛亥革命爆发。12 月 16 日，宿州光复。各界推前知州李铭楚为民政长。

公历 11 月 2 日，清江北提督雷振春于宿城搞假独立。组织保安军，雷振春自任总司令。

是年底，津浦铁路通车。车站名为南宿州火车站。

宿城相继设立了恒隆、王公和、常吉庆等几家大商号。⑧

---

① 《淮河水利简史·灾害年表》第 369 页。
② 《宿州市志》第 6 页；《宿县县志》第 17 页。
③ 《宿县地区志》第 21 页。
④ 《淮河水利简史·中国历年天灾人祸表》第 369 页。
⑤ 《中国历年天灾人祸表》。
⑥ 《淮河大事记》第 82 页。
⑦ 《清代淮河流域洪涝档案史料》第 1054–1055 页。
⑧ 《宿县地区志》第 21 页；《宿州市志》第 8 页；《宿县县志》第 17 页。

中华民国

1912 年，民国元年

民国成立，四月宿州改称宿县。泗州改为泗县（属安徽省）。

一月二十七日民军光复固镇（民国史称"宿固之役"）。①

一月十一日，孙中山宣布北伐，自任总指挥，任柏文蔚为北伐第一军军长，淮上军袁家声编为该军第四师第七旅，袁家声任旅长，奉命开往宿县。

二月八日，张勋遣代表至宿州（宿县），与民军代表协商议和地点及停战办法。②

六月三十日，固镇驻军因欠饷兵变，后被镇压下去。③

美国传教士贾德（Cater）夫妇在河南街东段建基督教堂（福音堂）；设农事部、办农场；筹建民爱医院（今市立医院）；办涵美学院，美国人明牧理任校长。

在药店巷南端设二等乙级邮政局。

宿城先后出现义记号、凌云烟庄商号。④

宿县普益煤炭公司，产煤达 159525 吨，占全省煤产量的二分之一，营利 47600 元。⑤

---

① 《中华民国大事记·卷一》第 312 页，中华书局。
② 《中华民国大事记·卷一》第 320 页，中华书局。
③ 《安徽通史·卷八·固上》第 134 页。
④ 《宿县地区志》第 21 页；《宿州市志》第 8 页；《宿县县志》第 17 页。
⑤ 《安徽通史·卷八·民固上》第 277 页。

是年，灵璧钟馗画参加巴拿马艺术赛会，荣获金质奖章。①

1913 年，民国二年

大旱，自四月始到立秋方落透雨。②

1914 年，民国三年

设道、宿县、灵璧、泗县属淮泗道。萧县、砀山属徐海道。

五月，飞蝗入境，下卵伤害秋禾。③

1915 年，民国四年

自六月始，全区旱、蝗。④

宿城设立四等电报局。⑤

符离魏广明改造"红曲鸡"的制作工艺，首创"符离集烧鸡"。⑥

1916 年，民国五年

中国长途汽车公司宿县分公司设立。

王雪渔在宿城创办蚕桑学校，地址在原宿州正谊书院内（原行署大院），民国八年改为省立第四甲种农业学校，民国八年改为省立第十四中学，民国十三年改为省立第四农业学校，民国十七年改为省立第四中等职业学校。20 年代该校被誉为"革命摇篮"，宿县早期共产党人李一庄、徐仙舟、赵汇川、王峰午、刘道行等或任教或就读于此。

夏秋间霍乱流行，百姓死亡无数。⑦

雷振春署安徽督军，雷在宿城设立公馆。

宁波巨商杨继青在东关设"大同蛋厂"，配 20 马力发电机组一部。⑧

---

① 《灵璧县志》第 4 页。
② 《宿县地区志》第 22 页；《宿县县志》第 18 页。
③ 《宿县地区志》第 22 页；《宿州市志》第 8 页；《宿县县志》第 18 页。
④ 《宿县地区志》第 22 页。
⑤ 《宿州市志》第 9 页。
⑥ 《宿县县志》第 32 页。
⑦ 《宿县地区志》第 22 页。
⑧ 《宿县县志》第 18 页；《宿州市》第 9 页。

1917 年，民国六年

五月，段祺瑞北洋政府在宿城招募华二百余人赴法国，支援协约国对德战争。①

五月，赛珍珠与丈夫布克到宿县定居，为创作《大地》三部曲奔走于城乡之间，搜集素材考察民风民俗。②

七月十二日，张勋复辟，驻宿辫子兵随之北上。③

九月，靳帮统率安徽省新编安武军一部进驻宿城。④

由商会出面创办宿城电灯公司，地址在宿城东北角梓童庙旁，由商会长孔仙甫主持，筹集经费一万元，少数坤商豪富及官府衙门开始用电灯。⑤

中山街中段开始安装路灯。⑥

1918 年，民国七年

北京政府令嘉萧县人徐树铮陆军上将衔。

倪道杰成立益大中兴公司，试采青龙山煤矿。

萧县人王子云在县城举办个人画展，开本区美展之先。

宿县时村人晋恒覆（字席珍）当选安徽省议会议长。⑦

十月七日，驻宿县龙济光新编安武军兵变，起因不详。后被镇压，逃散。⑧

1919 年，民国八年

五月四日，宿县学生联合会成立。

五月六日，宿县省立第四农校及白衣阁等小学、市民、商界人士游行示威，反对卖国贼曹汝霖、章宗祥、陆宗舆等。

五月七日，宿城中小学师生以及市民、商人三千余人于城隍庙集会，

---

① 《宿州市志》第 9 页。
② 《宿县地区志》第 22 页。
③ 《宿县地区志》第 22 页；《宿县县志》第 18 页。
④ 《宿州市志》第 9 页。
⑤ 《宿县县志》第 18 页。
⑥ 《宿州市志》第 9 页。
⑦ 《宿县地区志》第 22 页。
⑧ 《安徽通史·卷八民国上》第 135 页。

声援"五四运动"。

十二月，第四甲种农业学校学生组织学生义演，支援华北五省灾区。

是年，宿城主要街道（中山街）铺成青石板路面。①

1920 年，民国九年

非基督教大同盟成立，反对教会。

李宜春、孔禾青、江善夫、邵葵等人改组学生联合会，创办"新符离剧社"。

四月，宿城学生查禁日货，将查出的日货，在北校场烧毁。

六月十一日，宿县各界在省立第四农校集会，声援安庆"六三"惨案受害学生，声讨军伐马连甲。

八月，在外地求学的学生李宜春、刘道行、江善夫、邵葵等回到宿县，发起组织学生联合会，创办《宿县导报》，后更名为《宿县周报》《宿县日报》。②

泗县士绅筹办汽车公司，利用原大车道将泗县—五河45公里，稍加修整通车营运。这是安徽省最早的通行汽车的商办公路。

是年，宿县非基督教大同盟在宿城成立。③

1921 年，民国十年

春，奎河改道，由凤凰蛋口门取道向南，直达柏山入旧河。

四月，宿县学生联合会发动学生及市民到宿县政府请愿，反对宿城旧绅、省议长晋席珍侵占公产，低价强购原幼幼两等小学校址。

学联会创办"群星书社"《和学联会会报》《宿县导报》。

六月十一日，宿城各界人士集会，追悼安庆"六三"惨案遇难进步学生姜高琦、声讨惨案制造者军伐马连甲。

是年，自五月起，连续数十天阴雨，城郊区河水暴涨，房舍淹没，人

---

① 《宿县地区志》第23页；《宿州市志》第10页；《宿县县志》第18页。
② 《宿县地区志》第23页；《宿州市民》第10页；《宿县县志》第18页。
③ 《安徽通史·卷八·民国上》第288页。

畜漂流，灾民甚多。①

1922 年，民国十一年

春，宿县旅外学生江善夫，在上海中华职业学校由张涤中介绍加入中国共产党社会主义青年团。江利用暑假带回大量的进步书刊，如《共产党宣言》《向导》等，从此，宿县开始有了团的活动，马列主义得以在宿县传播。

是年，赛珍珠移居南京。②

是年，晋席珍操纵各校士绅子弟成立"新学联"分化学运动。③

1923 年，民国十二年

夏，宿县社会主义青年团小组成立。

宿县图书馆建立，地址大河南街福音堂东隔壁，藏书由李隽生、周树棠、张凤楼、张子林捐赠。④

1924 年，民国十三年

宿县国民党临时县党部成立。⑤

年底，江善夫、李一庄、孔禾青三人发起组织国民会议促进会。

五月五日，黄埔军校第一期开学，萧县淮海区寿楼乡王衍庄人王仲廉考入该校学习，至十一月三十日毕业。⑥

1925 年，民国十四年

三月，宿城美国基督教农事部扩大实验农场，强占农民土地，共青团发动全城各界人士坚决抵制。

五月二十五日，在宿城国民党临时党部主持下，宿城各界人士在孔庙隆重集会，悼念孙中山逝世。

---

① 《宿县地区志》第 23 页；《宿州市志》第 10 页；《宿县县志》第 19 页。
② 《宿县地区志》第 23 页。
③ 《宿州市志》第 10 页；《宿县县志》第 19 页。
④ 《宿县地区志》第 23 页；《宿州市志》第 10 页；《宿县县志》第 19 页。
⑤ 《宿州市志》第 11 页；《宿县县志》第 19 页。
⑥ 《宿县地区志》第 24 页。

六月五日，5000 余人在城隍庙集会，声援"五卅运动"。①

七月十四日，宿县南关集农民协会在三里湾成立，通过宣言、简章。下设交际、宣传、庶务、监察等部，选举王宣儒、王理风等人为执行委员。拉开了安徽各地组建农民协会的序幕。

十月二十四日，五省联军孙传芳部谢宏勋等击败奉军进驻宿城。

是年，城隍庙戏院首次放映无声电影片《嘉兵不祥》。②

1926 年，民国十五年

二月，宿县产业工会成立。

三月八日，宿县妇女协进会在宿城成立，杨孟生任会长。

七月，中国共产党宿县临时支部在临涣集成立，朱务平任书记。

秋，在宿城孔庙奉杞宫召开共产党宿县第一次党员代表大会，成立宿县县委和团县委，到会代表 30 多人，代表全县党、团员 50 多人。县委书记刘孝祜、委员有朱务平、徐凤笑、扬梓宜、李一庄、邵癸等。设立组织部、宣传部，组织部长朱务平、宣传部长李一庄、团县委书记邵癸。

十月，小车工会负责人马登科和凌云烟庄老板发生冲突，宿县警察逮捕马登科，中共地下党组织发动群众罢工、罢课、罢市，群众怒砸警察局。

是年，省立第四中等职业中学学生驱逐国家主义派校长盖廷俊。③

1927 年，民国十六年

五月底，北伐军第十军军长王天培率所部潘善斋师进占宿城，宿县人民召开欢迎大会。李一庄、王天培在会上讲话。

六月十九日，蒋介石率李宗仁等将领自徐州西迎冯玉祥，在萧县黄口举行隆重的欢迎仪式。④

七月二十八日，蒋介石随进攻部队进驻宿州，指挥第二路军向徐州

---

① 《宿州市志》第 11 页；《宿县县志》第 19 页。
② 《安徽通史·卷八民国卷·上》第 218 页。
③ 《宿县地区志》第 25 页；《宿州市志》第 1 页；《宿县县志》第 19 页。
④ 《宿县地区志》第 25 页。

进击。①

1928 年，民国十七年

二月，宿县总工会成立。

是年，宿县开始敷设长途电话线。属泗、蚌、宿专线，主要用于军事。

七月初，蒋介石自北京返回南京途中，曾在宿县火车站稍事停留。宿县各界人士即赴车站欢迎。②

九月，中共宿县县委召开扩大会议，传达八七会议精神，要求原以个人身份参加国民党的共产党员，一律退出国民党。③

1929 年，民国十八年

宿县境内大旱。

宿县新绅派将省政府派的县长陈徽瑞强行送上火车，逐赶出境。

豫、皖等大旱，灾民三千四百万人，苏、皖、鲁、赣、豫受虫灾。④

1930 年，民国十九年

年初，中共江苏省委决定将宿县百善区和临涣区组织的农民自卫队合编为"中国工农红军第一师第一团"，7 月 8 日举行武装暴动。⑤

二月，宿城商人陈震生、陈巽生等集资于梓潼庙创设商界自用电话，民国二十四年四月，经交通部核准，定名为无限电话公司。

六月十二日，宿县东三铺、水池铺等地农民武装暴动。

十月，蒋、冯、阎大战日炽，蒋介石前往郑州督战，路过宿城，视察了安徽省第四中等职业学校。驻福音堂。

是年，宿城设立第一家官办银行——徐州国民银行宿县办事处。⑥

① 《安徽通史·卷八民国卷·上》第 410 页。
② 《宿州市文史资料》第 23 页，内部资料。
③ 《宿州市志》第 12 页。
④ 《淮河水利简史·中国救灾史》第 370 页。
⑤ 《红十五军在宿州》，内部资料。
⑥ 《宿州市志》第 12 页；《宿县县志》第 20 页。

1931 年，民国二十年

国民党实行保甲制度。

是年，创办宿县县立中学，李一庄任校长。

是年，宿县政府奉安徽省政府之命，开始举办无线电事业，主要用于军事方面，有五瓦特电机一部。①

夏秋，宿境大水，麦没三成，秋收一成。

淮河流域特大洪水。②

1932 年，民国二十一年

五月八日，王效白领导宿县北部农民抗缴烟捐，举行武装暴动，起义队伍很快发展到一万多人，土豪劣绅闻风丧胆，纷纷逃进县城，县城四门紧闭，日夜戒严，起义活动持续三个多月，后来在反动势力联合镇压下，起义失败，王效白被俘，在徐州遭敌残害。

是年，萧县政府与南京中央大学农学院签订农业新技术计划项目，在陇海路南试种从美国引进的葡萄新品种，后在县城东南邵庄创建葡萄园艺场。③

1933 年，民国二十二年

八月，中共宿县县委书记孙达之，被叛徒出卖，在宿城东关合兴粮行被捕，不久，在徐州遇害。届时，徐州党、团特委组织也被国民党特务傅谦之破坏，宿县党组织因失去上下联系而中断活动多年，直到抗战开始才恢复活动。

萧县政务会决定以张贯三遗产基金，劝募自动捐助建立"民生工厂"，设榨油、葡萄酒、轧花、草帽运销等部。主要设备有 13 千瓦发电机一台、25 马力柴油机一台、轧花机十台，白天生产，晚上发电。所产"圣泉牌""夜光杯牌"葡萄酒畅销上海、南京等地。④

---

① 《宿州市志》第 13 页；《宿县县志》第 20 页。
② 《淮河水利简史》第 37 页。
③ 《宿县地区志》第 27 页；《宿州市志》第 13 页；《宿县县志》第 20 页。
④ 《宿县地区志》第 28 页；《宿州市志》第 13 页。

1934 年，民国二十三年

春，灵璧云路街小学教师孙霭廷和学生骨干徐崇富，组织部分师生掀起驱逐反动校长张宗考的学生运动，并取得了胜利。①

是年，萧县兴办民生葡萄酒厂，靠手工酿制葡萄酒。②

1935 年，民国二十四年

宿城成立民众教育馆，馆长张朴民。

宿城学生于火车站热情慰问北平学生南下请愿代表团。③

1933-1936 年，民国二十四年

宿县县长曲著勋，高志忠二任期间，修葺县政府、翻修城隍庙，辟彰善商场，建彰善大舞台，另修护城堤，城墙。城墙砖面刻文"中华民国二十四年县长合肥高志忠"字样。

1937 年，民国二十六年

七月七日，发生卢沟桥事变，抗日战争全面爆发，在中共地方党组织领导下，本区各地迅速掀起抗日救亡运动。

十月，第五战区司令长官李宗仁到萧县、宿县等地做抗日动员报告。

十一月，宿城中小学教职工组织宿县教育人员战时后方服务团，赵汇川、扬艺舟为负责人。

十二月十七日，宿县抗日救亡社在大东门开成立大会，孔子寿为主任委员，张公干、匡亚明为副主任委员。④

1938 年，民国二十七年

一月，第五战区司令长官李宗仁来宿视察抗日防务，发表抗日演说。⑤

二月，成立宿县抗日动员委员会。组织抗日救亡社，进行抗日宣传，动员先进学生 300 余人赴延安、潢川学习，以壮大抗日队伍。

---

① 《宿县地区志》第 28 页。
② 《宿县地区志》第 232 页。
③ 《宿州市志》第 14 页。
④ 《宿县地区志》第 28 页；《宿州市志》第 14 页。
⑤ 《宿州市志》第 14 页。

三月十七日，日军出动 36 架飞机，对宿城轮番狂轰滥炸，小隅口一片大火。①

五月十四日，日军侵入濉溪、百善、双堆、孙疃、铁佛等地，枪杀当地百姓 1000 余人，沿宿永公路设据点驻军。②

同日，国民党军张自忠部 180 师在萧城南与日军血战。

五月十八日，驻守宿城的国民党二十一集团军一七一师师长杨俊昌率部撤出宿城。

五月十九日，从徐州撤退，第二十集军廖磊、第七军郭军长周光晃、第一七一师师长杨俊昌，由于守宿不力，已被军法审判入狱。③

五月十九日，日军侵占宿县、大肆屠杀。史载有宿县"渠沟惨案"。④

日军侵入夹沟时，于东门外火神庙内，一次屠杀百姓 200 多人。当日又屠杀小涂庄群众 80 多人，杀绝 21 户。⑤

该日，日军飞机轰炸灵璧县城。五月二十六日沦陷。

六月，在日军指使下，汉奸陈巽生等成立宿县伪政权，陈巽生为伪县长。

六月九日，孙象涵、胡方稳，黄凤殿等打死汉奸赵宗嘉，在桃山集组织了彭南抗日游击队。

六月十五日，砀山沦陷。

六月中旬，萧县西部孟振声、孟召林、何光友拉起抗日游击队，由孙叔平、耿蕴斋带到陇海路北整顿，编为"湖西人民武装抗日义勇队"二总队，第十五、十六大队。

七月，赵汇川领导的游击队，在宿县西北蔡桥子与日军打了一场遭遇战。

七月十五日，宿西抗日游击队在西郊二铺集附近伏击日军，第二大队

---

① 《宿县县志》第 20 页。
② 《濉溪县志》第 17 页。
③ 《文史资料存稿选编》（卷六）《桂军第七军在徐州会战中》，中国文史出版社 2006 年版。
④ 《安徽通史·卷八民国卷·下》第 633 页。
⑤ 《宿县县志》第 20 页。

队长吕子庸等6人牺牲。①

八月初，宿县抗日游击队在古饶乔店子村成立，领导人有周龙凤、赵汇川等。编11个大队，共1000余人。②

八月，安徽省主席李品仙给皖北专署密电，令对宿县等地活动的新四军小部队以"土匪"名义解决之。

八月初，驻宿日军在符离集车站成立特别区，委汉奸张景瑞为区长，直属侵宿日军指挥。

八月二十三日，抗日十七大队突袭黄庙日军据点，全歼日军一小队，缴获三八式步枪十八支、手枪一支、歪把子机枪一挺。这是抗战以来，抗日武装取得的第一次重大胜利。

九月中旬，抗日义勇队十七、十八大队联合地方各抗日武装破袭津浦铁路三堡至曹村段、陇海铁路杨庄至黄口段的路基，并一度占领黄口车站。

是月，萧县抗日民主政权建立，把全县划分为十个区，推选彭笑千为代理县长，为第一个民选县长。

是年，烈山矿工成立第五战区矿工游击大队。赵汇川、周龙凤等在宿西组织抗日游击队；余小仙、陈凤阳等在东三铺、水池铺一带建立抗日武装；赵一鸣、王峰舞等在宿东组织抗日游击队；王崤宇在宿南组织抗日武装。

九月二十一日，《拂晓报》在河南竹沟创刊。彭雪枫在发刊词中写道："拂晓代表着朝气、希望、革命、勇敢、进取、迈进有为，胜利就来的意思，拂晓催我们斗争，拂晓引来了光明，定名为拂晓，包含着庄重而又伟大的意义。"③

十月一日夜，游击队长沈连城字雁白率游击队和群众千余人，破坏了老符离一段铁路，阻止日军运输。

十一月八日，泗县沦陷。

---

① 《宿县县志》第21页。

② 《濉溪县志》第17页。

③ 中国人民解放军陆军第二十一集团军编：《新四军第四师大事记》第25页，内部资料。

十二月，钟辉、梁海波、韦国清、李浩然等率八路军山东陇海支队从徐州东南下进入皖东北，开辟抗日根据地。[①]

日军在宿州城的暴行：1938年四月徐州会战开始，日军飞机不断对宿州城进行轰炸，每次来轰炸的飞机一二架或三五架，最多达12架。宿州城遭到严重的破坏，人民生命财产损失惨重。其中有两次轰炸造成的损失最严重。第一次是四月下旬的一天，日军9架飞机对火车站至县政府沿街进行轮番轰炸，投弹100多枚，致使居民死伤400多人，房屋财产损失无法统计。仅小东门天主堂附近被炸死、炸伤就达100多人（一说300多人），沿街电线杆、墙壁和城隍庙前的石狮上溅有被炸人的血肉，尸横遍地。县政府一带草房，被烧成一片废墟。第二次是在五月十日前后，日军飞机除炸毁东关大街和大隅口一带建筑物和房屋外，还炸死、炸伤100多人，日机投掷的炸弹重达500公斤。

日军占领宿城后，大肆搜捕任意杀人，东关两位古稀老人，无缘无故被杀害。1938年六月上旬的一天，日军窜至南关西边小薛家村，一次杀害13人，其中薛赵氏一家6口全部被杀；接着日军又窜至关芦家村，杀死多人。同年秋，日军在西二铺开枪射杀正在地里翻红芋秧的农民李大个。一天夜里，日军在全城大搜捕，抓走邵伟生、凌四蟠、李松坡等各界人士20多人，有的被当即杀害，有的则被秘密送往东北充当化学武器和细菌武器的试验品，或被送到煤矿做劳工。此外，日军还多次在乡下"扫荡"中抓人回城后加以杀害，一次由濉溪抓来五六十人全部杀害在南关小河滩里。

十二月，伪省政府令以原有的维持会为基础建立宿县政府，委陈巽生任县长。伪政府设一室四科，即秘书室、财政科、教育科、建设科、民政科。划分城关、大店、百善、南坪、夹沟、湖沟、临涣、濉溪、路疃、时村十个伪区公所，一个符离特别区，符离特别区不受地方节制，直接受命于日军。[②]

---

① 《宿县地区志》第30页；《宿州市志》第14页；《宿县县志》第21页。
② 陈金沙《侵华日军暴行总录》第716页，河北人民出版社1995年版。

1939 年，民国二十八年

三月，中共山东分局派特派员杨纯（女）、江彤（女）来皖东北与江上青联系，建立皖东北特委，杨纯任特委书记（公开身份是盛子瑾专署民运科长），隶属中共苏皖边区，下辖泗县、五河、宿东（灵宿）三个县委。

五月，皖东北特委决定成立宿县县委，孔子寿任书记。

七月，张爱萍、刘玉柱从津浦路西进入皖东北，在双沟会同杨纯、江上青同盛子瑾谈判，不久，成立八路军、新四军办事处，张爱萍、刘玉柱分任正副处长，并在各阶层中广泛开展统战工作。

八月，共产党在宿东建立宿灵行署，赵汇川任主任。

八月二十九日，发生"小湾子事件"。八月中旬，张爱萍、刘玉柱为帮助解决盛子瑾与灵璧县长许志远之间的矛盾，在灵璧张大路推动盛许谈判。会后，盛子瑾带百余人乘船走水路返回青阳，经过小河湾时，突遭王仲涛、吴国宝、王健飞等地主武装 600 余人的伏击，中共地下党员江上青、朱伯庸和国民党进步人士蒋茂林、张愚飞等遇难。

九月，孙象涵率领 18 大队随苏鲁豫支队东进洪泽湖。

十一月四日至十日，张爱萍在灵璧组织八路军、新四军及盛子瑾共六个团的兵力，讨伐伪军雷杰三部，歼其大部，雷仅带百余人枪落荒逃往宿县城内。①

1940 年，民国二十九年

三月十八日，淮北苏皖边区军政委员会成立，刘瑞龙任书记，张爱萍、江华为副书记，统一领导和指挥苏皖边区地方与军队工作。②

春，成立宿东办事处，赵一鸣任主任。

五月，刘少奇化名胡服，到宿县地区视察工作，分别召开地方干部会议，就建立抗日根据地、成立民主政府、扩大地方武装等问题作了重要讲话。

---

① 《宿县地区志》第 30 页；《宿州市志》第 14 页；《宿县县志》第 21 页。
② 中国人民解放军陆军第二十一集团军编印：《新四军第四师大事记》第 89 页。

八月十二日夜，游击队长王恒赵夜袭蒿沟伪据点，利用内线解放蒿沟。

九日，成立中共皖东北地委和专署，张彦任书记，刘玉柱任专员。

九月十六日"泗县双沟惨案"600 余人被害，21 户被杀绝。[1]

十二月十二日，发生震惊豫、皖、苏、鲁边区的"耿、吴、刘叛变"事件。八路军四纵队六旅十七团团长刘子仁、十八团团长吴信荣、豫皖苏边区保安司令耿蕴斋，受国民党反动派的策动，在萧、宿、永边界叛变，扣押了中共党政干部八九十人，造成流血事件，随后挟持部下 2000 人，投降汤恩伯。

是年，宿县火车站南河拐陈村附近铁路被游击队破坏，日军纵火烧河拐陈全村，自此，该村名为火烧陈。[2]

1941 年，民国三十年

一月，皖南事变后，一月二十日，中共中央军委任命陈毅为新四军代军长，刘少奇任政委，驻皖东北五纵队三支队改为三师九旅，张爱萍任旅长，韦国清任政委。

五月，新四军四师师长彭雪枫率部进入皖东北。三师九旅与四师十旅对调。随之，正式成立皖东北区党委，邓子恢任书记，刘子久任副书记兼组织部长，刘瑞龙任行政公署主任，刘玉柱任副主任。四师带来大批干部组成工作队，分到各地发动群众，开展各项工作，皖东北地委遂撤销。

秋，宿境内大水。

九月二十日，在中山街 26 号，开设宿县电报局。

十月二十五日，日军士兵矢口庄司逃出宿城加入新四军。

是年冬，新四军参谋长张震来宿视察工作。

1942 年，民国三十一年

二月，驻宿城日伪军两千余人进驻蒙城。

---

[1] 《安徽通史·卷八民国下》第 635 页。
[2] 《宿县地区志》第 31 页；《宿州市志》第 14 页；《宿县县志》第 20 页。

二月底，中共萧宿铜县委改组，书记朱玉林，副书记孙明远。

三月七日安徽省宿、泗、亳、灵璧四县划归为苏淮特别行政长官公署辖治。①

汪伪专员张次溪在北门内东侧城墙内傍水塘修建"来苏亭"公园，内镶苏东坡刻石像一方及碑记数面。②

五月，中共淮北苏皖区党委决定，建立泗灵睢县，李任之任书记，吕振球任县长。

十月，新四军骑兵团配合地方武装攻下灵璧冯庙伪军据点。

秋，宿县划归伪淮海省管辖（省府设徐州），先属徐州苏淮特别区。③

1943 年，民国三十二年

抗日根据地实行减租减息。

一月八日，邳睢铜地委改为淮北三地委，康志强任书记，兼军分区政委。邳睢铜军分区改为淮北第三军分区，赵汇川任司令员，王学武为政治部主任。

二月建立中共邳睢宿工委。十月改为睢宿县委，行政方面建立睢宿办事处。

四月三日中共萧铜县委在闵集王村召开县委扩大会议，被叛徒带领夹沟敌人包围袭击，县委书记曾曹介被俘，后在宿县英勇就义。淮北区党委派姚克接任书记。④

春，徐州日伪苏淮特区行政公署改为淮海省。灵、泗、宿、萧、砀属之。

十二月，中共淮北军区决定从宿东游击队为基础，成立淮北军区第四军分区。⑤

---

① 《徐州百年大事记》第 86 页，上海古籍出版社 1990 年版。
② 《宿州市志》第 58 页。
③ 《宿县地区志》第 32 页；《宿州市志》第 15 页；《宿县县志》第 21 页。
④ 《徐州百年大事记·上》第 86 页。
⑤ 《宿县地区志》第 33 页；《宿县县志》第 21 页。

1944 年，民国三十三年

春，新四军第四师彭雪枫师长率军由津浦路东过路西。

二月一日，汪伪"淮海省"成立，省会徐州，下辖徐州市、铜山、东海、阜宁、淮阴、宿县、亳县等 21 县。分为 6 个行政区，面积 5 万平方公里，人口 1300 万，郝鹏举任省长（为汪伪"模范省"）。①

四月十五日萧宿铜县在奎西区郑楼召开各界代表会议，成立萧宿铜县抗日民主政府。选举许西连为县长。②

夏，新四军师邓子恢政委率部过往铁路西。

六月，王秉章、杨勇率所部八路军一举歼灭砀、萧、丰、沛之敌万余人，敌人闻风丧胆，龟缩据堡，扩大了砀、萧解放区，发展了人民武装。

九月十一日，彭雪枫在夏邑八里庄战斗中不幸牺牲。③

十二月十七日，中共淮北区党委决定将第三、第四地委，第三、第四军分区合并，仍称第三地委、第三军分区，第三地委由张太生、刘玉柱、赵汇川、王学武、王烽舞 5 人组成，张太生、刘玉柱任正、副书记，第三军分区由赵汇川任司令员，张太生任政委，周世忠任参谋长，王学武任政治部主任，下辖三个独立团。同时，邳睢铜行政区联防办事处与灵宿行政区联防办事处合并成立淮北第三专署，王烽舞任专员，吴云培任副专员，下辖邳睢、睢宁、铜山、睢宿、峰滕铜邳、萧宿铜、宿东、宿灵、灵璧 9个县。④

1945 年，民国三十四年

一月二日，一架美军飞机在宿县上空对日作战，被日军炮火击中，坠落到县南 45 里白圩子村小张庄东侧，被中共宿南游击队，区长王国藩、队长潘成焕营救出美军飞行员瓦特少校，王国藩壮烈牺牲。瓦特少校被护送到淮北抗日民主根据地，受到新四军四师师长张爱萍、政委邓子恢热情接

---

① 《徐州百年大事记》第 87 页。
② 《徐州百年大事记》第 88 页。
③ 《宿县地区志》第 33 页；《宿县县志》第 22 页。
④ 《徐州百年大事记·上》第 90 页。

待。后几经辗转，瓦特返回美国。①

二月九日，中共淮北三分区主力和灵·五独立团，攻克尤集伪军据点，俘获伪司令刘福庭及以下官兵1500多人。

春，宿县北部遭受严重雹灾，小麦损失严重。

三月十八日，八路军七十九团在宿县杨庄一带歼灭到解放区抢粮的国民党驻李庄三十三师一个营。

四月，中共灵璧县委在薄林召开万人大会；悼念新四军四师师长彭雪枫。

六月十九日至七月十日，淮北军区第三分区组织分区部队和县区地方，在新四军四师九旅主力一部配合及分区司令员赵汇川指挥下赴"睢宁战役"取得胜利。是华中地区解放的第二个县城。②

八月十五日，日本宣布无条件投降，宿县地区各抗日武装奉命向一切敢于抵抗、不放下武器的敌人主动出击，收缴敌伪武器。

八月二十八日，攻克宿县重镇时村伪据点，活捉司令胡泽普，公审后枪决。

九月五日，灵璧县城解放，中共灵璧县委、县政府迁驻县城。李任之任灵璧县委书记，农超谋任县长。

九月二十日，由第七军在蚌埠固镇接受日军第七十师团投降。宿县日军一个联队在固镇投降。③

十月十八日，新四军四师十一旅三十一团在萧县总队配合下攻占萧县城。

十月，国民党军一三八师进驻宿县。④

十一月，《团结报》并入《拂晓报》。1940年一月，邳睢铜地委在睢宁县王窝创办《团结报》计出版440期。《拂晓报》为中共华中分局第七

---

① 《江淮文史》2012年第1期，第108页。
② 《徐州百年大事记·上》第92页。
③ 《中华民国史·卷十一》第20页。
④ 《宿县地区志》第34页；《宿县县志》第22页。

地委机关报，同时成立新华社第七分社。①

1946 年，民国三十五年

春，国民党军鲁道源五十八师占领宿县津浦路沿线。

秋，内战全面爆发，新四军北撤和西撤。

国民党中央调查统计局在宿城设立调查室。②

1947 年，民国三十六年

春，铁路西共产党组织在平岗整编部队，经龙亢一战，歼灭敌 30 团，开辟了宿萧永解放区。

秋，中国人民解放军围攻宿城。

九月，刘、邓大军南下作战，赵一鸣部收复宿西县。

是月，宿、灵、泗大水。③

1948 年，民国三十七年

三月，赵一鸣、郑良瑞为首，建立中共宿东县委，开辟新解放区，建立革命政权。

五月二十九日，中共华东局为统一淮南、淮北党政军工作的领导，将淮北地委和淮南地委合并，成立江淮区党委。书记曹狄秋、副书记李世农。宿东、灵璧、泗县归江淮区一、二地委领导。

八月十四日，宿北独立团武装反击进犯三个河东岸的国民党党部，战斗 2 小时，创该团杀敌 1∶30 的空前纪录，战后，军分区、地委致信嘉奖宿北独立团取得沂东大捷。

八月中共江淮区委决定，撤销邳濉铜工委，恢复邳睢县、铜睢县建制，隶属江淮三地委，三专署领导。④

十一月六日，为在长江以北歼灭国民党军南线主力，中国人民解放军集中华东、中原两大野战军及地方部队，由刘伯承、陈毅、邓小平、粟裕

---

① 《徐州百年大事记·上》第 95 页。

② 《宿州市志》第 16 页；《宿县县志》第 22 页。

③ 《宿县地区志》第 35 页；《宿州市志》第 16 页；《宿县县志》第 22 页。

④ 《徐州百年大事记·上》第 107 页。

等指挥，在以徐州为中心，东起海州、西止商丘、北起临城、南达淮河的广大地区，发起淮海战役。①

十一月八日，徐州"剿总"司令刘峙判断解放军东西夹击徐州，于是改变原定将各机动兵团撤至徐蚌线两侧的计划，决定将主力集结徐州。令孙元良兵团向宿县、符离集间地区集结。

民国政府令：刚由北平回到南京的杜聿明，返徐州任该"剿总"副司令；令李延年第九绥靖区在蚌埠组建第六兵团，指挥第九十九、三十九（刚由东北撤回）、五十四军由蚌埠向宿县前进；刘汝明第四绥靖区改编为第八兵团，将蚌埠第九十六军归其建制，会同第六兵团向宿县推进，并完备该地；黄淮第十二兵团由阜阳向蒙城、宿县前进。②

十一月十六日，蒋介石以宿县被攻甚急、黄维兵团已抵阜阳，令李延年指挥第三十九军、第九十九军，由固镇出发解宿县之围。③

十一月十六日，中原野战军三纵队陈锡联部攻占宿城，全歼守敌，生俘少将护路副司令兼城防司令张绩武。宿城解放。

十一月二十日，自河南东援之黄第十二兵团赴皖北涡河前进，先头部队到达浍河南岸地区（宿县南坪集）。④

十一月二十日，江淮军区党委决定把宿城划为宿城市，隶属宿东县。十二月十五日正式设县级市由三分区副政委王凤舞兼书记、马骏任市长、王友钊任副市长。

十一月二十五日，黄淮兵团向东南突围未成，整个兵团四个军全部被解放军包围在以双堆集为中心的纵横不到20公里的狭小地带内。⑤

十二月十日，解放陈官庄周围50多个村庄，将杜聿明集团20余万人压缩在以陈官庄为中心的狭小地区。

进攻双堆集之解放军调整部署，以第三纵加强南面，由陈士榘指挥，

① 《中华民国史·大事记》（第十二卷）第8720页，中华书局2011年版。
② 《中华民国史·大事记》（第十二卷）第8722页。
③ 《中华民国史·大事记》（第十二卷）第8731页。
④ 《中华民国史·大事记》（第十二卷）第8734页。
⑤ 《中华民国史·大事记》（第十二卷）第8737页。

黄维兵团第八十五军第二十三师师长黄子华率部及两个团向解放军投降。①

十二月十一日，淮海战场解放军围攻双堆集，黄维兵团继续顽抗，第十四军军长熊绶春被击毙。②

十二月十六日，淮海战役进入围歼杜聿明集团的第三阶段。中共中央军委决定淮海战役部队休整 10 天左右时间，中原野战军全军位于宿县、涡阳、蒙城地区，准备截击由南北援之敌。③

十二月十七日，淮海战役总前委成员刘伯承、邓小平、陈毅、粟裕、谭震林在萧县蔡洼村杨台子召开总前委会议，并合影留念。④

十二月，宿城出现第一家国营工厂——华东军区兴华毛巾厂（在书院巷北头，路西）。

年底，原华东军区江淮三分区修械所迁到宿城，在原元丰蛋厂旧址建立"新宿铁工厂"，是安徽省最早的国营机械厂，即后来的"宿州柴油机厂"。⑤

1949 年，民国三十八年

元月五日，国民党第十六兵团司令孙良元自宿县突围抵汉口，所部残余千余人，逃至驻马店地区。⑥

元月十日，淮海战役结束。⑦

元月，废除保甲制度，改设街道居民委员会和居民行政组。

从淮海战役开始以来，萧宿铜县委、县政府积极领导全县人民支援淮海战役。全县供应军粮 530 万斤，马料 100 万斤，马草、烧草 2000 万斤，出动小车 12000 辆、牛车 2050 辆、毛驴 4008 头、挑子 4022 副，战地服务担架 2778 副，抢修铁路 350 公里，供应枕木 6500 根，抢修公路 7 条 367 里，架电话线 383 里，动员群众磨面 200 多万斤，做草鞋 8000 余双，出去

---

① 《中华民国史·大事记》（第十二卷）第 8748 页。
② 《中华民国史·大事记》（第十二卷）第 8748 页。
③ 《中华民国史·大事记》（第十二卷）第 8753 页。
④ 《宿县地区志》第 36 页；《宿州市志》第 16 页；《宿县县志》第 25 页。
⑤ 《宿州志》第 84 页。
⑥ 《中华民国史·大事记》（第十二卷）第 8769 页。
⑦ 《中华民国史·大事记》（第十二卷）第 8774 页。

民工 96 万人次。此外，战役期间民兵、群众拦截查获国民党溃军残兵1000 余人。①

三月，皖北宿县联合中学成立，胡铁民、孔子寿为正副校长。

春，对国民党政、军、特人员登记清理计 1500 余人。

三月二十五日，江淮三专署和豫皖苏三地委、六地委之一部合并，建立宿县地委，下辖睢铜、泗阳、淮宝、泗南、怀远、宿西、盱凤嘉、洪泽湖、宿迁市、宿城市等 20 个县级单位。地委书记李任之，副书记吴云培，专员赵一鸣，副专员张作萌。

四月，江淮第二、第三专署撤销，成立宿县专署。同时撤销泗宿、泗南县，将泗宿、泗南、泗阳县各一部及洪泽湖管理局共 16 个区（局）合并，成立泗洪县，属宿县专区。②

四月二十一日，宿东、宿西两县合并为宿县。

五月中旬，萧县铜县撤销，其所辖房村区、毛庄区划归邳睢县，路东区（棠张区）、褚兰区划归萧县，张山区、股北区划归宿县，古城区划归灵璧县。③

六月五日，县制调整，宿县地委辖永城、砀山、萧县、宿县、灵璧、泗县、泗洪、怀远、五河九县一市。宿县地委隶属皖北区党委，驻宿城。地委书记李任之，专员王烽舞。

七、八、九三个月连降三次暴雨，数处河堤决口，造成严重水灾。④

九月，大雨成灾，群众于水中抢收大豆，宿县专署、宿县人民银行两次贷给永城麦种 130 余万斤。⑤

---

① 《徐州百年大事记·上》第 118 页。

② 《洪泽湖志·大事记》第 36 页，方志出版社 2003 年版。

③ 《徐州百年大事记·上》第 123 页。

④ 《宿县地区志》第 36 页；《宿州市志》第 16 页；《宿县县志》第 25 页。

⑤ 《永城县志·大事记》第 73 页，新华出版社 1991 年版。

中华人民共和国

1949 年

10 月 1 日，中华人民共和国成立。宿县地区各县均举行隆重的庆祝活动。

秋，地委举办第一期青年干部训练班，以适应形势发展的需要。

冬，宿县地区第一家国营贸易公司——光华贸易公司，在宿城成立。

是年农历八月十五日（中秋节）晚，反动会道门袭击南坪财税所，九名税务干部牺牲七人，仅沈苏民、李振先二人负重伤后脱险。

11 月 11 日，召开宿县各界人民代表大会。

12 月，地委将反匪反霸工作队集中宿城进行评功检过，评选出一批模范工作者，也处分了个别犯错误的工作队干部。

是年底，宿县地区各县相继开展以扫除文盲为目的的农村冬学工作。

同年，萧县、宿县等地采取以工代赈等措施，发动 25000 多名民工疏浚奎河、龙河、湘西河、解河，修复阎公堤、岱河堤等。

1950 年

元月，宿县地区第一次推销人民胜利公债 7.8 万元。

是月，泗县首先在灾情严重的刘圩区四山乡建立第一个生产救灾合作社（后称供销社）。

3 月，灵璧、泗县、泗洪等县灾情严重，中央派以郭冠杰为首的慰问团到泗洪县慰问灾民。皖北区党委书记曾希圣也来宿县地区了解灾情，并帮助开展生产自救。

4月20日，宿县军分区、地委、行署为维持地方治安，做好土地改革前的准备工作，向所属的宿县、萧县、砀山、永城、五河、怀远、灵璧、泗县、泗洪县发出指示，全区发展民兵五万人。

6月，宿县划为两县，其西部置濉溪县，县政府驻口子（即今濉溪镇）。

7月，阴雨连绵，河水陡涨，宿县地区有数处河堤决口，水灾严重，仅宿县被淹秋禾达270余万亩。地委及时派出救灾工作队赴宿县时村区、灵璧尹集区、杨町区等地帮助群众开展生产自救。

9月，奉皖北治淮临时指挥部指示，成立宿县专区治淮指挥部，指挥王烽舞，政委吴培云。①

10月，美国侵朝战争爆发后，宿县地区各县掀起反美示威游行和百万人参加的反对侵略战争、保卫世界和平的签名运动。

11月，全区普遍开展镇压反革命运动。

12月，成立地区土地改革工作委员会，在砀山、萧县、永城县进行土改试点工作，培养训练了一大批土改干部；同时，广泛宣传了土地改革法。1950年10月，土改工作全面展开，共集中土改干部10486人，分别编成土改工作队派赴各地，至1952年7月，宿县地区所属的九县一市，98个区，1282个乡，4978450余农业人口，21504532亩土地的土改工作全面结束，向农民颁发了土地证。

是年，各县又相继发生大规模的反动会道门暴动事件。他们攻打区、乡政府、财税所、粮站等，杀害基层干部，反革命气焰嚣张一时，政府采取坚决的镇压措施，很快平息了暴动，稳定了局势。

是年，统一全国货币，本区首次发行人民币。中止流通中州、北海等原解放区货币。

在毛主席"一定要把淮河修好"的号召下，全区数万民工上堤，开展治理淮河的工作。1950年春，邵力子率代表团来区慰问治淮民工，并带来毛主席"一定要把淮河修好"的亲笔题词。

---

① 《新汴河志稿》第15页，内部资料。

1951 年

元月，萧县所属郝寨、北望、棠张、桃山、褚兰五个区划归山东省徐州市郊区。

3 月，国家机关工作人员试行"个人生活费用包干制，以'供给分'计算"（又称"小包干"）。

春，泗县城南乡金秀兰被评为治淮模范，同年出席柏林世界青年学生联欢会。途经苏联时，受到斯大林的接见。次年，金秀兰又被治淮委员会评为全国劳动模范，并被推选为团中央委员。

夏，宿县发电厂恢复发电。

5 月 31 日，经政务院批准，再次建立县级宿城市。市长征营。

7 月，宿县地区各地暴雨成灾，仅泗县境内就有 23 处河堤决口，毁民房 600 余间，人畜皆有伤亡。

8 月 6 日，在宿县地区老汪湖等地发现大面积红蜘蛛和蝗虫灾害。

8 月 29 日，北方革命老根据地访问团来我区萧县访问烈军属及荣誉军人。萧县县政府召开烈、军、工属、荣誉军人代表座谈会。

10 月 12 日，中央和华东局从北京、上海抽调一批干部、知识分子来宿县地区参加土改。著名哲学家艾思奇在宿县张山区参加土改。

是年，各县捐款购买飞机、大炮，支援抗美援朝战争。

志愿军报告团高巢、王友根等代表到宿县地区做报告。

1952 年

元月，开展"反贪污、反浪费、反官僚主义"的三反运动。接着，又按照党中央的部署，在城市开展"反行贿、反偷税漏税、反盗窃国家资财、反偷工减料、反盗窃国家经济情报"的五反运动。

6 月 3 日，永城县划属河南省商丘专区。

7 月，泗县等地蝗虫为患，粮食作物减产严重。

8 月，宿县地区各县相继成立"中苏友好协会"。

10 月 9 日，为大力贯彻执行《婚姻法》，地区成立婚姻检查委员会。

10 月 15 日，江苏省徐州市属褚兰、桃山两区划归宿县。

是年，宿城市被评为全省卫生先进城市。

是年，全区中学教师分别于暑假和寒假集中在芜湖、合肥两市参加思想改造学习。小学教师在各县、市集中学习。

是年冬，全区开展整党工作。

1953 年

2 月，砀山、萧县划归江苏省徐州专区管辖。

3 月，在全区城乡大张旗鼓地开展婚姻法宣传活动，对婚姻法执行情况进行深入检查。

3 月 9 日，本区各地群众集会，悼念斯大林逝世。

4 月 12 日凌晨，宿县地区各县发生严重霜冻灾害，正在拔节的小麦经霜打后遍枯黄。不久天降春雨，枯萎后的小麦重新分蘖抽穗，午季收成仍较好。

7 月 17 日，灵璧籍战士张学栋，在福建东山岛战斗中英勇牺牲，被授予战斗英雄称号。灵璧县人民政府将烈士家乡固镇乡命名为"学栋乡"。

9 月，撤销宿城市，改为宿县城关区。区长杨钊。

是月，阜阳汽车分公司宿县中心站建立，正式开展客运业务。

是年，成立宿城消防队，有八名队员、一辆手推消防车。

是年 10 月，在全区开展过渡时期总路线的宣传教育，并开始实行粮食统购统销。

1954 年

元月，地区在泗县召开公判大会，枪毙曾屠杀过千余革命干部、烈属和革命群众的原国民党泗县黑杀队队长兼大庄区区长季觉非。

4 月，宿县县政府自符离迁回宿城。

5 月，经普查，仅萧县的皇藏、龙城、朔里、陶楼、祖楼、丁里六个区，就有血丝虫患者 28500 人。

6 月，安徽考古队杨钟键、中国科学院士脊椎动物与古人类研究所周明镇在泗洪县下草湾作地质考查，发现古人骨骼化石，经测定距今 4 万–5 万年，为安徽境内发现最早的人类化石，被命名为"下草湾人"。创建了中更新统下草湾系。①

8月，宿县地区发生百年未遇的大水，淮河大堤发生险情，五河毛滩堤决口，凤山禹山坝和鳗里池决口淹怀远。政府调拨大批粮食物资救济灾民。

12月28日，全区普降大雪，平地积雪尺余，最低气温降至-24℃左右，淮河封冻，冰上行汽车。果树多半冻死，其中石榴树受灾尤重。沿淮地区牛草奇缺，省里从滁县地区调拨大量牛草支援怀远、五河灾区。

是年，宿城建立全省第一个国营拖拉机站，站长张尧臣。

是年，全区推销国家经济建设公债360多万元。

1955 年

春，宿县地区各地春荒严重，宿县救济人口达85%。

3月，开始兑换人民币工作，新币一元兑现旧币一万元。

4月，砀山、萧县复划归宿县专区。为统一洪泽湖的综合利用，泗洪县划归江苏省淮阴地区。

7月，全区开展"肃反"运动。

8月，对农村粮食实行"定产、定购、定销"的三定工作。对城镇居民实行按年龄、工种定量的供应办法。

秋，毛泽东主席南下考察合作化运动，途经宿县，地委书记田世五、专员单劲之登车汇报工作，并陪同至蚌埠火车站。

10月13日，苏皖两省就废黄河、濉河和安河水系划分问题达成协议。该协议由治淮委员会主持，在蚌埠签订了《江苏省徐州专区铜山濉宁与安徽省宿县专区灵璧、宿县边界水利纠纷协议书》。协议书规定，以废黄河南堤为界，自吴楼东北起，经杨洼（包括堤北3.5平方公里）、小店庄、洪庄、李庄、小张庄（包括堤北2.5平方公里）、双沟镇、马庄，至胥湾止，以此连庄线北属废黄河水系，南属濉河水系，以废黄河为界，自孙庄起，经常雁、柴湖西、陈集、寨山、土山、大刘山、东郭庄至张场止，以

---

① 《洪泽湖志·大事记》第38页。

此连庄线西属潍河水系。（至此废黄河水系属江苏睢宁县，潍水系属安徽灵璧县。从协议后安徽省灵璧县地域内失去了 7.5 公里的黄河故道。）①

1956 年

2 月，宿县、滁县两专区合并，成立蚌埠专区，驻蚌埠市，辖 16 个县（萧、砀、灵、泗、潍、宿、怀、五、肥东、凤阳、嘉山、全椒、天长、来安、定远、滁县）。

4 月 1 日，宿县地区乡（镇）半脱产干部，改为脱产，实行工资制。

5 月，灵璧县孟山乡治保主任毛安俊出席全国公安战线群英会，毛泽东、刘少奇、邓小平等党和国家领导接见了会议代表。

8 月，进行工资改革，取消干部供给制、包干制待遇，实行薪金制。

秋，泗县遭龙卷风袭击，长直沟粮站仓库西山墙被刮倒，鹿鸣山上一棵百年银杏被连根拔起，滚落山下。

是年，煤炭地质 332 勘探队在宿城外西北角小周庄营建基地。

是年，省第三监狱建立，狱址在宿城西关。

1957 年

元月始，宿县地区城乡普遍开展除"四害"（苍蝇、蚊子、老鼠、麻雀）运动。

3 月始，宿县地区各县相继创办县委机关报，至 1962 年方停办。

3 月下旬，省长黄岩带领干部到我区五河、泗县、灵璧、怀远等县检查了解灾情。

5 月，泗县泗洲戏剧团演员、优秀小生马方元赴京，向党中央、毛主席作汇报演出。

8 月，宿泗、宿潍、宿涣三条公路干线全部改造成晴雨通车的石子路面。

9 月，各地组织教育界、文化界和党政干部大鸣大放，号召帮助党整风。接着，开展反右派斗争，使不少人被错划为右派分子，受到斗争打

---

① 《灵璧县志》第 373 页。

击，当时教师受累尤重。直到 1978 年中共十一届三中全会后，被错划右派彻底平反，恢复工作。

是年冬，宿县地区掀起大干河网化高潮，机关、学校、厂矿组织人员参加义务劳动。

1958 年

4 月，以宿县三八乡陈淑贞合作社为题材的电影故事片《三八河边》，开始在宿县拍摄（编剧：鲁彦周，导演：黄祖模，主演：张瑞芳）。

7 月 22 日，灵璧县浍沟乡张时庄暗藏的反动组织"圣贤道"道首时庆安，纠集 14 名道徒携带凶器攻打县看守所，企图劫走被捕的反动道首吴万昌等人。经过激烈战斗，闯入看守所的 14 名道徒，12 人被击毙，一人被击伤，一人被活捉，该案曾通报全国。

8 月，全区各地开展大炼钢铁运动。各机关、学校、企事业单位，纷纷建立团、营、连制的组织形式，不分昼夜，轮班作业，结果劳民伤财。

9 月始，宿县地区各县先后成立了"工农兵学商五位一体""一大二公""政社合一"的人民公社。人民公社硬性规定以生产队为单位建立公共食堂，要求"组织军事化，行动战斗化，生活集体化"。仅泗县一地就建立公共食堂 2271 个，造成极大浪费。至 1961 年底，柴缺粮断，公共食堂才被彻底废止。

秋，大搞小麦密植，卫星田每亩下种 80 至 200 斤，出苗如丝，多有种无收。

10 月 16 日，国家副主席刘少奇到宿视察，在地委第一书记李坚、专员单劲之同志的陪同下，视察了濉溪县卧龙湖和宿县三八人民公社，听取了党委书记谷宗勤、社长陈淑贞、副社长郝长顺等同志的汇报。

是年，宿县创建"肉类蛋品联合加工厂"（为淮北地区最大的肉类蛋品联合加工企业）。[①]

是年，用行政命令推行"三改"（旱地改水田、低产作物改高产作物、

---

① 《小宿州志》第 100 页，内部资料。

增加复种指数）；同时，刮起了"五风"（一平二调的共产风、浮夸风、瞎指挥风、命令风、特殊风），不按客观规律办事，致使农业生产遭到严重破坏。

是年，全国妇联副主席章蕴，中共中央书记处书记黄克诚，中共中央政治局委员、国务院副总理谭震林等先后来宿县地区视察。

1959 年

1 月，中共安徽省委批准建立中国共产党濉溪市委员会，高心泰任第一书记，郑春田任第二书记，窦继仪任副书记兼组织部长，许彩文任副书记兼市长，韩固、刘建新、邹云龙、马诚义为市委常委，邢凯等人为市委委员。①

2 月 25 日，党和国家领导人邓小平、彭真、刘澜涛、杨尚昆等来宿，在省委第一书记曾希圣、地委第一书记李坚、专员单劲之等同志陪同下，视察了当年的淮海战场双堆集。

3 月，萧县葡萄酒厂酿造的"中国红葡萄酒"，首次出口九吨到联邦德国。

3 月，国务院决定撤销萧县、砀山县组建萧砀县。②

6 月 20 日，《人民日报》头版头条载萧县皇藏公社万亩小麦平均亩产820 多斤，其中 3.8 亩，亩产 3242.5 斤。实际该县小麦亩产仅 83 斤。

7 月，宿县地区首先在萧县黄口使用飞机灭虫，有效率达 50%至 72.7%。

9 月，在宿县地区开展以右倾为目的的新的整风运动，一些人被定为右倾机会主义分子。

10 月，三八人民公社社长陈淑贞、全国劳动模范黄景堂赴苏联参加十月革命 42 周年庆祝活动。

是年，在全国第一届运动会上，宿县杂技团演员朱继德等夺得技巧团体冠军。受到国家体委主任贺龙的接见。

---

① 《濉溪县志》。
② 《砀山县志》第 40 页。

是年，萧县著名植棉能手、全国劳动模范孙景厚，当选为全国人民代表大会代表，出席第二届全国人民代表大会。

1960 年

1月1日，全国统一调整金银价格，黄金每克3.04元，白银每克0.04元，银圆每枚1元。

春，由于自然灾害和"五风"（浮夸风、命令风、共产风、瞎指挥风、特殊风）为害，全区广大农村，人缺口粮、畜缺草料，大量出现浮肿病、干瘦病，人口非正常死亡严重，各级政府采取应急措施，如拨发黄豆、白糖和部分油脂等救护饿病群众。

10月5日，濉溪市人民委员会成立。

是年，省博物馆考古人员在萧县龙城镇南30华里处的白土镇，发现始建于唐的名窑之一的萧窑遗址，并列为省级文物保护单位。

1961 年

1月，析濉溪县境北端方城大队和渠沟大队建濉溪市。

春，中共中央和安徽省委先后派工作组到泗县帮助整社，纠正"五风"。

3月，为恢复发展农村经济，本区各县开始推行责任田制度，包产到户，对促进农业生产起了重要作用。

3月，撤销蚌埠专区后，重新设立宿县专区，辖宿县、砀山、萧县、濉溪、灵璧、泗县、五河、怀远八县。蚌埠专区3月15日宣布撤销，宿县地委、行署仍暂驻在蚌埠，当年7月全部迁回宿县办公。

5月，宿东电厂1.2万千瓦发电机组建成投入发电。

6月，为贯彻中共中央关于大办农业、大办粮食的方针，大力压缩城镇非农业人口，下放到农村参加农业生产。

8月，本区各县按照中央制定的"农村人民公社工作条例（草案）"（即农业六十条）的规定，将耕地面积的5%至10%划为自留地，归社员自收自种。

是月，开展对部分错划右派的甄别平反工作，但不久即停止。全区仅在党政机关对少数错划右派予以纠正。

秋，创建地区农业机械学校，由宿县第二初级中学（大店中学）改建而成，办学一年即被撤销。

11 月，共青团中央第一书记胡耀邦等一行自河南来宿考察。

冬，党中央副主席朱德一行，一路视察水利灾情至宿，稍事停留，地委、专署负责人孟亦奇、单劲之到火车上汇报工作。

12 月，国务院决定撤销萧砀县，恢复萧县、砀山县，各领合并前的辖区。①

1962 年

2 月，地委书记孟亦奇、副书记单劲之和地委工交部长方忠国及各县委书记、副书记等人赴京参加中央工作扩大会议（即 7000 人大会）。

6 月，萧县有 41 个公社，80 多万亩庄稼遭受雹灾，平地积冰雹三至四寸，有 77 人被砸伤。

7 月 2 日，中共宿县符离区委上书中共中央政治局，要求为发展生产继续实行责任田，"文化大革命"中，被视为"万言上书"，区委书记武念兹遭批斗。

是年，宿县自来水厂建成，市民开始食用自来水。

年底，中共中央中南局第一书记陶铸及河南省委第一书记刘建勋、水利部长钱正英等一行来宿考察，解决河南、安徽两省边界水利纠纷问题。安徽省委第一书记李葆华、副省长张祚荫及地委、行署负责人陪同考察。

1963 年

元月，全区相继开展改正责任田的检查工作，土地仍旧集体统一经营，使刚复苏的农村经济受到很大的影响。

3 月，开始在农村进行社会主义教育运动试点工作。以宣传贯彻中央八届十中全会精神、巩固集体经济、改正责任田为中心。

5 月至 7 月，全区各地暴雨成灾，百余处河道决口，农田大部分被淹。

---

① 《砀山县志》第 40 页，方志出版社 1996 年版。

几条干线公路被水冲断，交通阻隔。3000 多个村庄浸于水中，房屋倒塌千余万间，数十万人无处栖身，人畜皆有死亡。中国人民解放军南京部队多次派舟桥部队赴灾区抢险救人。各级政府及时派大批干部深入农村领导防汛救灾。

8 月，各县建立计划生育领导小组，并开始宣传计划生育工作。

1964 年

元月，全区灾情严重，政府拨发口粮、救济款、医药等救济物资，并动员机关干部、城镇职工捐献粮（票）、款、衣、被等支援灾民，又到外地求援，帮助灾民度过饥荒。

2 月 22 日，省委第一书记李葆华来到萧县朔里、赵庄、黄口等地检查灾区生产和灾民生活安排情况。

10 月，地区"四清"（清政治、清组织、清思想、清经济）试点工作在砀山县开始，全区组织数千名"四清"工作队员赴砀山，地委书记孟亦奇，副书记任慎修、郭永锡和各县县委书记均带队参加。

是年，学雷锋活动蔚然成风，好人好事层出不穷。社会风尚为之一新。

是年 7 月，析宿、灵、五、怀四县各一部分置固镇县。

1965 年

元月，脑炎、麻疹等传染病在我区蔓延流行。据统计，仅泗县就有患者 4000 多人，死亡 70 余人。

4 月和 6 月，地委先后两次组织参观团，分别由郑淮舟、孟亦奇同志带领，赴山东临沂地区参观，学习农业生产经验。

5 月底，地区在砀山县第一批"四清"试点结束。第二批从 9 月份开始。

7 月，全区各县开始建立学习毛主席著作领导小组，并相继召开学"毛著"积极分子代表大会。

8 月，在全区农村推行修筑台田、条田的农田建设工作。

12 月，煤炭部三十三工程处、七十一工程处、二十九工程处相继在宿城东郊营建基地。

是年，"四清"工作在宿县和砀山县未搞完的九个公社全面展开，其他县也开始试点。

是年，萧县少年乒乓球队代表地区参加全省比赛，获少年组男子团体冠军。

1966 年

元月，在全区城乡大力开展疟疾病的防治工作。

6 月 12 日，宿城一中的学生贴出本区第一张大字报之后，"文化大革命"在全区迅速展开；造反组织蜂起，学校被迫停课，有的工厂停产。红卫兵进行大破"四旧"活动，不少古书、古画、饰龙凤花纹的器具及古装行头被毁坏，亭榭碑刻、金石铭文被砸，文物古迹遭到严重破坏。各地造反派相互串连，散发传单。"文革"给全区生产和人民生活造成很大的损失。

7 月 1 日，地、县委有关负责人，参加济南铁路局举行的符（离）夹（夹河寨）线通车典礼。

10 月，横贯全区的新汴河工程破土动工。全区九个县组织 30 多万农民工大干三冬四春，于 1970 年春竣工。

是月，全区各中学红卫兵代表及部分教师开始分批赴京接受毛泽东主席的检阅。

12 月，各造反派组织之间矛盾激烈，辩论不止。

1967 年

元月，上海刮起"一月风暴"，全区各造反组织争相夺权，1 月 11 日夺拂晓报社权，1 月 27 日夺地委的权，致使各级党政机关陷于瘫痪，整个社会混乱。党政领导干部"靠边站"，开始揪斗"走资派"，一些学有专长的文教科卫知识分子被打成"反动学术权威""牛鬼蛇神"，被造反派强行挂牌、戴高帽子游街、批斗。地委副书记郭永锡、副专员路少棠、全国劳动模范黄景堂等因之致死。

3 月 26 日，宿城各造反组织实行"大联合"，成立宿县专区革命委员会。旋即又分裂成拥护革委会的"好派"和反对革委会的"屁派"。两派斗争日趋激烈，由文斗发展到武斗。城乡处于混乱之中，此后不久，"三·二六"革委会解体。

9月4日、5日，宿城造反派发生武斗。

9月，解放军6408部队奉命进驻全区，开展"三支两军"工作。

9月3日，蚌埠造反组织"铁红总"到泗县人武部抢枪，被当场打死八人，打伤数十人。下午，"支左"的解放军某部班长刘碧云在五河县境内吴桥附近被"铁红总"造反派误伤牺牲。

10月，砀山县发生造反派抢枪事件，砀山中学生晁桂芝被打死。

11月28日，宿县两派造反组织又在宿城一中（现地委机关所在地）发生武斗，致使该校教学设备毁坏殆尽。

12月13日，宿城造反派到灵璧县人武部抢枪。

12月14、15日，宿城两派造反组织在宿东机厂、小秦楼、火车站及萧县丁里等地枪战，梅勺、朱杰、张金斗等被杀害。

12月19日，宿城造反派到睢宁县人武部抢枪，伤亡数人。

是年，分宿县专区通用机械厂，在东关韩池子建"宿县专区农业机械厂"（简称二机厂），1969年迁至南关运粮河西侧原第一初级中学址。主导产品有农用拖车、HS－1翻斗车、黄山－12型拖拉机。2000年10月撤销。

1968年

元月，本区各地相继兴起唱"忠"字歌（即唱忠于毛主席的歌），跳"忠"字舞和早请示、晚汇报（即每天早晚面对毛泽东画像，手举语录本背诵几段语录，或唱"忠"字歌，将每天要做的事说一遍）的活动。

2月3日，夜，萧县造反派一方炸断陇海路夹河寨铁路大桥。

3月，宿县城郊大型水利工程沱河引河穿汴地下涵竣工。

5月1日，两派造反组织再度实现大联合，成立宿县地区革命委员会。各县及基层单位也相继成立革命委员会。

6月，大搞"红海洋"运动。各地沿街主要建筑墙壁均用红漆、红土涂刷，以示革命，谓之"红海洋"。各交通要道、集市中心、公共场所及高大建筑物临街处，各机关、学校、工厂、企事业单位，皆雕塑或绘制毛主席像，家庭设忠字堂，居屋摆放毛泽东石膏像，家家购买《毛泽东选集》。

6 月，横跨新汴河的灵西闸工程开工。该闸为宿泗、灵固公路和新汴河航运的枢纽，整个工程由公路桥、橡胶坝、船闸、翻水站四项主体工程组成，其中橡胶坝工程当时居全国同类工程之首，次年 12 月竣工。

8 月，工人宣传队进驻学校"支左"，农村学校由贫下中农宣传队管理。

是月，萧县在花甲寺新石器遗址开始试掘。

9 月，动员城镇知识青年上山下乡。这一工作持续到 1977 年。

10 月，地委、行署机关干部分别集中到新马桥农场和涂山园艺场搞斗批改。

12 月 26 日，灵璧 11 万伏高压变电所与华东电网并网供电，结束了该县农村无电的历史。

1969 年

元月 4 日，全区城镇中学开始下迁农村，校产受到很大破坏。

元月 15 日，首批上海知识青年 862 人，下放宿县地区泗县插队落户。

2 月 7 日，地委、行署机关一大批干部下放到灵璧、五河、固镇、泗县农村安家落户，接受所谓贫下中农再教育。

4 月，萧县塑里区郭庄大队党支部书记郭宏杰在中共第九次全国代表大会上被选为中央候补委员，第十次全国党代表大会上又被选为中央委员，先后担任萧县县委第一书记、省委书记兼安徽农学院党委书记、团省委第一书记等职务。曾率中国青年代表团访问朝鲜。郭在任职期间，以郭庄划线，犯有"左"的错误，粉碎江青反革命集团后，1977 年，中央决定撤销郭宏杰党内外一切职务，开除党籍。

5 月，开始清理阶级队伍工作，又使一大批人受到迫害。

9 月 24 日，淮北供电局开始向泗县输送十一万伏高压电。

10 月，新汴河宿县闸竣工通车。

是月，各地先后建立斗、批、改领导小组，不断召开各种形式的革命大批判经验交流会。

12 月，乘火车从新汴河工地返回的砀山县民工，因车行至萧县段失火。烧死 57 人。

是年，遵照毛泽东的"五·七"指示，成立各级"五·七"小组，负责对下放干部、知识青年的管理教育，地、县均设立"五·七"干校，强迫干部劳动改造。

是年，各县大力发展小化肥厂、小水泥厂等"五小"工业。

1970 年

元月，各县先后建立民兵独立团。

元月 17 日，各县开始筹办"五·七"大学。废除考试制度，采取推荐与选拔相结合的招生办法，各小学改秋季招生为春季招生。

元月，省革委会在萧县郭庄大队召开县以上领导班子活学活用毛主席著作经验交流会。

2 月 23 日，地区革委会主任吴文瑞，因公出差，自灵璧返宿时，因雨后路滑，汽车失事，在大店东触树身亡，以身殉职，被追认为烈士。

是月，"一打三反"运动在全区开始（即打击现行反革命、反贪污盗窃、反投机倒把、反铺张浪费），这一运动又伤害了一批干部和群众。

3 月，省、地派毛泽东思想宣传队进驻萧县。

5 月始，全区各地农村普遍办起合作医疗。

6 月，各种规模的活学活用毛泽东思想学习班和积极分子代表大会不断召开。

秋，全区各地掀起了打机井的高潮，大力提倡井灌。

是年，在宿城南关建成第一个火葬场。

1971 年

2 月，全区开始"反骄破满"整风运动，各地举办批修整风学习班。

3 月底，按照"九大"党章要求，宿县地区召开第一次党代表大会，

119

选举产生中共宿县地委成员。

4月2日，国务院批准濉溪市改为淮北市。

6月5日始，全区阴雨连绵，月余乃止，小麦生芽、霉烂，损失严重。

8月，新汴河正式通航。为五级航道。

是月，泗县城关西关庙新汴河渡口发生沉船事件，淹死男女青年七人。

1972 年

2月，开始批判林彪反革命集团"571 工程纪要"政变纲领。

是月，《拂晓报》停刊。

是月，濉河符离闸竣工通车。

是月，安徽省第一台十二马力级小四轮拖拉机在地区农机研究所试制成功。于昱年在萧县农机一厂投入批量生产。

5月，宿城电视（黑白）差转台正式转播。

7月，灵璧县大理石厂建成投产。

7月26日，地委向全地区发出"向李月华同志学习"的通知。李月华系泗县丁湖卫生院医生，全心全意为人民服务，积劳成疾，光荣殉职。《安徽日报》《人民日报》发表《白衣红心李月华》的长篇通讯。李月华被追认为共产党员、革命烈士。

8月，泗县屏山公社发现紫斑病蔓延，后得到及时防治，仅死亡数人。

9月8日，萧县优秀民办教师李祥俊病故于教室里，李祥俊1956年从事教育工作，先后被评为省、地、县先进工作者。

12月，泗县丁湖供销社随意丢弃报废农药"西生力""六六六"粉，导致百余群众中毒，四人死亡。污染粮食万余斤。

12月25日，全省农业学大寨先进代表大会和农业学大寨工作会议在萧县召开。38000 多人参加了大会。

1973 年

3月6日凌晨，全区普降雨雪，一、二级干线全阻54小时，宿、灵、泗、五、固、怀、濉各县三级线路均不通，倒杆988根，断杆1066根，断线 2654 处，固镇断线尤重，至 11 日方大部恢复。

7 月，宿县部分社队遭冰雹和暴风雨袭击。

是年 7 月始，中国人民解放军 6408 部队停止"三支两军"工作，陆续撤回部队。

是年，辽宁朝阳农学院"张铁生事件"后，学校实行开卷考试，致使学校秩序混乱。各地频繁抽调学生参加生产劳动，进行所谓开门办学，教学质量日下。

1974 年

2 月，煤炭部在宿城成立淮北煤炭基本建设局。

3 月，河南省马振扶中学事件中，再次掀起批判所谓修正主义教育路线回潮运动，使教学秩序更加混乱。

3 月 27 日，萧县百货公司仓库将 76 斤氯化钠当作明矾发给祖楼供销社，造成 17 人中毒，经抢救，16 人脱险，1 人死亡。

5 月下旬至 6 月初，灵璧、泗县遭冰雹狂风袭击，15 个公社的 40 多万亩小麦受灾，个别地方颗粒无收。

8 月 10 日，泗县境内突降暴雨，个别社队 24 小时内降水 600 多毫米，造成民利河、小黄河多处决口，180 多个村庄的 20 余万人因陷于泽国之中，伤 30 多人，死 9 人。南京军区及时派舟桥部队赴灾区抢险。

是年，各地相继举行计划生育图片展览，投入大量人力物力，着手抓人口急剧增长问题。

1975 年

4 月，各县建立人工降雨、防雹领导小组。6 月 20 日，萧县发射带催化剂的土火箭进行人工降雨，获得成功，降雨量 20 至 50 毫米。

8 月，地区少年田径运动会在泗县举行。

是月，泗县赤山公窦庄、东蔡庄两起婚宴，造成 140 多人食物中毒。

冬，各地掀起所谓"反击右倾翻案风"运动，人们的思想愈加混乱。

是年，实行"商业革命"，一些地方先后关闭农村集市，禁止自由贸易，谓之为"割资本主义尾巴"。

是年，各县设立预防地震办公机构。

1976 年

元月 8 日，周恩来总理逝世，全区广大干部群众纷纷自发举行悼念活动。

春，灵璧工艺厂制作的大理石工艺品首批销往日本。

5 月始，萧县持续干旱达半年之久。

6 月 20 日，泗县大庄公社遭十级大风袭击。刮毁房屋 600 余间，后又降冰雹，农作物局部受灾。

7 月 6 日，朱德委员长逝世，广大干部群众举行悼念活动。

8 月 4 日，故黄河上游洪水迅猛下泄，砀山县至单县公路黄河桥被冲毁十余米。

8 月，全区各地开展防震工作，并从地直和各县抽调人员，专门负责接待安置、医治唐山地震伤病员工作。

9 月 9 日，毛泽东主席逝世，各地遍设灵堂举行悼念活动，停止娱乐活动一周。

10 月中旬，各地纷纷举行庆祝粉碎江青反革命集团（"四人帮"）的群众大会。

1977 年

1 月 20 日，划濉溪县归淮北市管辖。

2 月，全区各地出现流行性脑炎，并迅速蔓延，仅萧县就有 11 人死亡。

2 月 24 日，地区召开揭批江青反革命集团的群众大会。

4 月 4 日，宿县夹沟—曹村农话电线，首次使用埋地塑料电缆，全长 15 公里。

5 月，宿县"五·七"大学党委书记兼校长王孟儒赴京参加"全国教育工作会议"，受到邓小平等党和国家领导人的接见。

7 月，在宿城三里湾建立地区农业机械学校。

9月，泗县造船厂正式成立。

11月，废除"文化大革命"以来的招生推荐办法，恢复考试制度。地区及各县成立"招生委员会"，具体负责高等、中等、技工学校的招生工作。

是年，安徽大学宿县地区师范专科班在原地区师范的基础上创办。1980年，经教育部正式批准为宿州师范专科学校，为本区第一所正式高等学府。

12月22日，省委第一书记万里来本区视察，并至萧县郭庄召开部分干部、职工及社员代表座谈会。

是年，濉溪县划入淮北市。

1978年

1月，为彻底消除彬彪、江青反革命集团的流毒和影响，本区各地深入开展揭批查其反动罪行的"第三战役"。

3月10日夜，宿县百货大楼被盗，24岁的共产党员李强为保护国家财产与持枪歹徒搏斗，英勇献身。

5月，泗县鞋厂试制的粘胶布底鞋，年产达30万双，畅销于省内外，创造新纪录。

7月6日，本区各地持续高温。宿城气温达摄氏40度。

8月，本区遇到罕见旱灾，各河流沟塘基本干涸，新汴河断流，一些地方人们吃水困难，至秋末小麦还不能播种。

是年，全区给错划右派摘帽平反工作基本结束。

1979年

2月，全区揭批林彪、江青反革命集团的运动基本结束。

3月，在全区开展对"四类分子"（地主分子、富农分子、反革命分子、坏分子）摘帽工作。接着，组织力量，认真审查冤、假、错案，进行平反工作。

6月9日，省委书记万里来本区视察，并在萧县白土公社召集基层干部参加关于农业生产合同制的座谈会。

8月，地委书记孟亦奇随省委第一书记万里率领的"安徽代表团"赴美国马里兰州访问。

9月，泗县暴雨成灾，连续降水600毫米以上，有的桥梁、堤防、公路被冲毁。

9月10日，国务院批准，以宿县城关镇区划为基础设立宿州市，属地区领导，12月10日地区组成以郝长顺同志为组长的宿州市筹备领导小组。

是年，各地"五·七"大学相继撤销。

是年，部分农村开始出现联产承包责任制。

1980年

元月，开始提倡一对夫妻只生一个孩子，大力宣传计划生育工作。

5月19日，中共早期党员、国民党国大代表、立法委员刘道行、王立文夫妇之子，美国马里兰州大学教授、等离子核聚变研究所所长刘金博士来宿县探亲访友，地委书记孟亦奇会见了他。

5月26日，美国加州大学地质系教授克劳德博士携夫人珍妮，来宿县进行考察。

7月10日，宿州市交通局长途搬运队鞭炮厂装药车间发生爆炸事故，死亡2人，重伤1人。

10月，泗县狂犬病流行，被狂犬咬伤者达824人，当时发病死亡6人。

11月，省委第一书记张劲夫来本区视察。

12月6日，地委决定《拂晓报》从1981年元旦复刊。

12月，地区把柴油机厂等八家所属企业移交给宿州市管理。

是年，宿县被评为全国平原绿化15个先进县之一。

是年，农业生产责任制，在全区普遍推开。农民生活迅速得到改善。

是年，宿州矿山机器厂在原宿县专区容器厂基础上在宿城南三里湾扩建为宿县地区通用机械厂，后易名为淮海机械厂，再易名为华龙矿山机械厂。主导产品为轻工部定点全国唯一的铝制酒类容器生产厂。后生产真空泵再改生产矿山机械，绞车、耙斗装岩机。

1981 年

元月，各县抽调人员开展农业资源普查和农业区划工作。

3 月，中共安徽省委第一书记张劲夫，在本区棉烟蚕会议上强调，消除"左"的思想，完善生产责任制，发展多种经营。

4 月 2 日，地委机关报《拂晓报》出刊 6000 期，地委书记孟亦奇发表纪念文章。

4 月 21 日，把萧县的朔里、坡里、北山、窦庄、钱庄五个公社及吴庄、牛眠等公社的部分大队，共 124476 亩耕地、10 万多人口，划归淮北市，实行以矿带社，淮北矿务局每年补偿萧县二万吨煤。此举造成萧县行政区划支离破碎，带来了一系列社会问题。

是月，经省文联批准，地区成立"红叶书画研究社"群众组织，社长梅纯一，副社长孟繁青，常务理事黄振铎等三人。省文联主席赖少其题写社名。该社先后十多次到上海、乌鲁木齐、合肥等地举办书画展。

5 月，宿州市汴河柳编厂生产的提篮、套方篮、园桶篮等产品销往欧美和港澳地区。

6 月，泗县鱼厂试验成功鲭鱼人工繁殖技术。

7 月 1 日下午三时，地直机关党员、干部隆重举行庆祝中国共产党成立六十周年大会。

7 月 28 日，中国人民解放军副总参谋长张震来宿访故，到圩盛孜烈士陵园凭吊为掩护他而牺牲的史良等 18 位烈士。

9 月 28 日，宿城两千门纵横制自动电话开通使用。

10 月 10 日，著名表演艺术家，鞍山市曲艺团评书演员刘兰芳首次来宿城演出《岳飞传（续集）》。

11 月，各县相继建立地方志编纂委员会和党史征集领导小组，开始编史修志工作。

12 月 29 日，宿州市电视台一千瓦彩色、黑白电视发射机开始试播。

是年，城市商业开始推行经营承包责任制。

是年，灵璧娄庄区王赵小学 11 岁的五年级女学生张雪获全国少年书法比赛儿童甲组第一名。

1982 年

元月，本区各县党政机构相继分开办公。

2 月，宿州市首次举办元宵灯会，历时三天。

2 月 15 日，全区实行"划分收支，分级包干"的财政管理体制。

2 月 20 日，省委代理第一书记、省长周子健到宿县地区检查工作。

5 月 1 日，津浦铁路宿城立交桥竣工通车。

6 月 10 日下午 7 时许，西二铺乡樊李村至谢家五华里长、三华里宽的范围内，遭龙卷风袭击，拔树倒屋，庄稼损失尤重，但人畜无伤亡。

7 月 1 日，全区进行第三次人口普查。

7 月 13 日下午 2 时许，龙卷风袭击固镇县陆湖村，不少树木被拦腰扭断，30 多米长的水泥杆被卷入河中，陆湖小学六间教室倒塌，20 名小学生被压下面，经过抢救，重伤儿童全部脱险。

7 月 10 日，全区各地暴雨成灾，新汴河水位猛涨，超过铁路大桥 28.5 米警戒水位线，洪水冲破汴河公路南引水闸。地、市、县委紧急动员民工护堤，奋战五昼夜，新汴河首次洪峰安全度过。

7 月 21 日夜，萧县降雨 400 多毫米，最大时降量 102.6 毫米，王寨、丁里、淮海等区受灾尤重，当晚县城被淹，县政府招待所门前一片汪洋，沿街可行船。受灾群众 30 多万人。省委书记王光宇率慰问组，冒雨看灾情，地委、行署调运食品、物资支援受灾群众。

8 月 27 日晚，酗酒的解洪、李成华驾驶汽车兜风，行至宿城胜利路与环城西路桥头路口翻车，撞死在此纳凉者 3 人、重伤 6 人。

10 月 25 日，中共中央总书记胡耀邦，书记处候补书记乔石、郝建秀以及商业部副部长姜习、团中央书记处书记陈昊苏等来到砀山县、萧县等地视察，省委代理第一书记、省长周子健等陪同。

是月，宿县党史资料征集小组、宿县地方志编纂委员会召开大革命时期在此工作过的老干部座谈会，为编写县志、党史抢救口碑资料。

12 月 26 日，年产 120 万吨的宿县朱仙庄煤矿建成投产。

1983 年

2 月，宿城彩色电视塔正式落成，塔高 113 米，覆盖半径 30 公里。

3 月，化工部、省冶金厅化工公司在萧县召开硫化碱转炉用衬砖技术标准审定及推广应用会。

4 月 11 日，美国大钢产业公司总经理邵佑铭，来宿县探亲祭祖。

4 月，全区开始实行第一步"利改税"。

5 月 13 日，宿县第一小学八岁的三年级学生孟刚创作的《小球星》画，在雅典举行的第三届国际儿童画上获佳作奖。

5 月 23 日夜，泗县农业银行被盗人民币 16 万元、自行车一辆。同年 8 月 30 日破案，罪犯蔡辉落网，11 月 10 日被判处死刑，执行枪决。

5 月 24 日，国际知名肿瘤学家、美国明尼苏达大学肿瘤医院肯尼迪教授携夫人来宿讲学，并参观了幼儿园和基督教会。

是月，本区开始进行人民公社体制改革试点，建立乡党委、乡政府、乡管委会，实行党、政、企分开。

是月，萧县葡萄酒罐头联合公司工程师孙毓芳被选为第六届全国人大代表。当年 9 月该厂生产的红双喜牌干白葡萄酒荣获国家银质奖。

7 月，省政府决定把宿县地区五河、固镇、怀远三县划归蚌埠市管辖。

是月，在省第二届评酒会上，宿县酒厂生产的汴河头曲，被评为安徽名酒。

8 月 23 日凌晨三点，全区开始打击刑事犯罪的"拉网"斗争，收审了一大批为害社会的案犯。9 月 26 日，萧县召开万人公审大会，依法判处 5 名抢劫、强奸、杀人犯死刑。

8 月 31 日，安徽电力局党组决定，将宿东电厂与宿县供电局合并，组成宿县地区供电局，自此宿东电厂为宿县地区供电局所属单位。时最高负荷 22400 千瓦。

9 月，南京军区副司令员饶子健，回到曾战斗过的灵璧等地方访问并参观了灵璧县大理石厂。

10 月 4 日，宿城首次在人民电影院放映立体电影《魔术师的奇遇》。

11 月 7 日凌晨 5 时 9 分，本区各地发生有感地震。

12 月 1 日，英国壳牌公司高级技师札礼睦一行四人，来宿县农药厂参观。

1984 年

元月，开始进行县级机构改革工作。

2 月 18 日，地委在萧县召开全区文明村（镇）建设经验交流会。会议由地委副书记徐振宾主持。会议期间，参观萧县张烈庄、孟楼两个文明村，萧县和宿县等 14 个单位介绍了建设文明村（镇）的经验。

3 月，灵璧县工艺厂为曲阜孔庙特制四套大型仿古编磬。

3 月 15 日，安徽省皖北矿务局在宿城成立。

是月，地区桐木加工厂马永良等一行五人，赴日本参观学习桐木加工技术。

春，开始核查"三种人"，即在"文化大革命"中"造反起家的、严重闹派性的人、打砸抢分子"。地委成立核查"三种人"领导小组。

4 月 25 日，地委、行署联合发出通知，要求全区进一步完善工商企业经济责任制，推动工商企业的改革。

4 月 27 日，省委书记黄璜到宿检查工作。

5 月 16 日，法国国际发展中心技术顾问盖约特教授，到砀山县考察桐木生产情况。

5 月，宿州市西二铺乡举行首届农民运动会，全乡 200 多名农民运动员参加了篮球、乒乓球、羽毛球、康乐球和象棋比赛。

5 月，地区举行专业剧团调演大会，确定泗州戏《借纱帽》等两个剧目参加全省调演大会。

6 月 14 日，由泗县朱士贵、许成章和省黄梅戏剧团丁式平等编剧，上海电影制片厂摄制的彩色宽银幕神话故事片《龙女》，在泗县电影院举行首映式。

6 月 23 日，应中国美术家协会新疆分会邀请，宿县地区《红叶》书画展在乌鲁木齐市展出。

7月，由离休老干部、老教师组成的"晚晴诗社"成立，推选原地委副书记朱诚、原地委党校副校长谢子言为正、副社长。聘请《诗刊》主编杨子敏、宿州师专副教授邵体忠为顾问。

8月17日，在宿城召开有各界人士参加的纪念彭雪枫殉国四十周年座谈会。

8月20日，地委、行署制定了关于保护专业户的十项规定，鼓励专业户带头勤劳致富，带头发展商品生产，带头改进生产技术。

是月，萧县刘玉梅作为国家女子手球队队员赴美国洛杉矶参加二十三届奥林匹克运动会，获得铜牌，全国妇联授予刘玉梅"三八红旗手"光荣称号。

中国著名园林绘画家王劲枝，安徽萧县人，退休后于1984年9月在北京租房，绘制世界第一园林——《圆明园全景图》，此图轰动国内外，引起社会关注。此图稿被房东女儿盗走，后经北京西城区人民法院判决，追回原稿。《圆明园全景图》画卷长8米、高2米，由2000多座亭台楼阁、40多个建筑群组成，规模宏大绘制精细，景物繁而不乱，色彩绚丽清秀，是科学与艺术紧密结合的珍品，对修复圆明园具有重要的参考价值，是对中华民族的一大贡献。①

9月3日，日本旅游团一行25人来宿旅游观光。他们绝大部分是日本侵华时在宿县等地驻扎过的旧军人，他们到烈士公园参观时，在彭雪枫烈士的塑像前脱帽致哀。

10月，国营企业开始实行第二步利改税。

10月3日，世界银行代表团——伊朗、美国、马来西亚等国代表一行四人，在行署副专员杨传玺等陪同下，到萧县水泥厂进行考察。

10月中旬，地委、行署召集宿县地区籍在北京、上海、天津、南京、合肥等地工作的专家学者座谈会，共同商讨如何发展宿县地区经济。

11月中旬，宿县符离杨圩村专业户杨传海，出席北京全国专业户座谈会，并应邀到北京大学做发家致富的经验报告。

---

① 《萧县志·附录》。

是年，泗县孟仁寿眼药，获省优产品，畅销国内外。

是年，砀山县成为全省第一个乡乡有文化站的县。

1985 年

元月，宿州市政府给卓有成就的盲艺人刁教云、赵开山、张立清等颁发奖品、奖金和奖状。退休老艺人刁教云获全国盲人音乐录音评比创作演奏二等奖和全省一等奖。盲人赵开山在全省伤残人运动会上获跳高、跳远两枚金牌。盲人张立清获游泳银牌、铜牌各一枚。

是月，萧县黄口镇体育模范家庭胡广荣，自费举办五省六县乒乓球邀请赛，为全国首创。

2 月，宿州市西关办事处居民汪先敏，将 1000 元现金寄往云南老山，慰问前线战士。

2 月 7 日，巴西南美国货公司副总经理费郎斯·约翰逊等一行五人，到宿州机械厂洽谈设备引进问题。

4 月，国家有关部门投资 600 万元，在符离镇建宿县符离集烧鸡总厂。

5 月 1 日，灵璧县尹集贺家小学教师刘夫培创办《农村孩子报》试刊发行。国防部长张爱萍为该报题写报名，全国妇联主席康克清等为该报题词。经省委宣传部批准，该报面向农村，兼顾城市，全国发行。

是月，灵璧县大理石厂试制出人造大理石产品。8 月 16 日，该厂与意大利布莱顿公司签订引进大理石加工设备合同，1987 年安装试车成功、投产。

6 月，萧县在上海、广州分别举办国画展，被誉为"国画之乡"。是月，行署专员唐震、地委秘书长李祥珍、行署办公室主任袁大政等一行七人，到日本考察引进挂面生产线。

是月，六省一市少儿书画赛揭晓，安徽省获三枚银牌，均为宿城一小学生。

8 月，地委副书记武秀玲带领地直有关部门负责人到北京开展对在京工作的宿县地区籍人士联谊活动，欢迎他们为家乡建设献智出力。

9 月 10 日，各地党政部门隆重集会，庆祝第一个教师节，表彰先进教师和 30 年以上教龄的老教师。

10 月，宿县《林业志》《文化志》分别由安徽人民出版社和安徽文艺出版社出版发行。为首批公开出版的专业志。

10 月初，全区阴雨连绵，至 11 月乃止，棉花等秋季作物减产，小麦延至"小雪"节气后播种。

本年度，上海电影制片厂和宿县灰古农民的大众驯兽团合作，摄制成功彩色故事片《驯狮三郎》。次年 2 月 24 日，导演于杰，主要演员毛永明、童秀兰等来宿参加该片首映式。

同年，灵璧县酒厂工人魏强发表小说《那明亮的灯哟》获 1985 年国际青年节"我们这一代青年人"征文二等奖，并应邀赴京参加"亚非太地区青年友好会见"欢迎招待会。

是年，宿县被评为全国烤烟生产先进县。

是年底，中国林业科学院林研所聘请砀山县绿化委员会副主任王文仁为泡桐项目顾问。全国应聘七人，王文仁是安徽的三人之一。

1986 年

元月 10 日，砀山县豫剧团在著名抗日将领吉鸿昌的家乡河南省扶沟县吕潭乡举行义演，把义演收入全部捐献给吉鸿昌生前所创的吕潭小学。

2 月 14 日，中共中央政治局委员胡乔木为《农村孩子报》题词。

是月，地委副书记武秀玲等一行五人，到联邦德国、意大利考察养鸡生产。

5 月 27 日，地区主持召开《宿县县志稿》评议会，该志主编周道斌向与会领导和省内外专家学者介绍了编纂情况。省志办副主任王亚洲、刘少英，专员唐震、地委副书记王某，行署顾问单劲之等地县领导人及复旦大学历史系教授黄苇等参加了会议并发表评论。

6 月，美国纽约大学教授刘正中回宿县探亲祭祖。行署专员唐震、地委副书记王某、副专员杨传玺会见了他。

8 月 19 日，著名雕塑家刘开渠回家乡，参观了当年在此读书的萧县实验小学。

8月21日，相声表演大师侯宝林来宿，在宿州大戏院演出四场。

8月26日，陈胜、吴广大理石雕像奠基仪式在大泽乡涉故台举行。

8月，宿县大营区团委书记刘全民，随中国青年代表团访问朝鲜，受到金日成主席的接见。

10月，灵璧县三山乡成立妇女禁赌协会。

是月，砀山县工人武术队代表地区参加省第二届工会武术比赛，获金牌一块、银牌三块、铜牌五块。

11月2日，日本株式会社社长片冈幸彦等一行四人，应邀来宿进行友好访问，参观了宿州市纺织厂、肉联厂、桐木加工厂、灵璧县丝绸厂、大理石厂等。专员唐震、副专员杨传玺会见了他们。

12月14日，地区医院肿瘤防治所为54岁女病人谢文纯成功地摘除一颗重达800克的甲状腺肿瘤。

是月，灵璧县县委书记高明德等一行五人，应邀赴意大利考察大理石生产线。

10月22日，刘伯承元帅的部分骨灰伴随着花瓣撒在他曾战斗过的宿县大地上。

10月29日，萧县孤山煤矿发生严重的冒顶透水事故，地委副书记王昭耀即日赶赴现场组织抢救，23名农民矿工被困井下三天三夜。淮北、皖北矿务局给予大力支援，人民解放军东海舰队也派潜水员参加抢救工作。结果17人得救，7人死亡。

1987年

2月9日（农历正月十二日）阴云密布的天空响着滚滚春雷，接着下起了断续阵雨。

3月2日中午，泗县黑塔区有四五万只乌鸦排成长达十里的一字形分两批由南向北飞去。

4月13日，蕲县农民在古城垣上，为淮海战役烈士建造纪念碑，地、县负责同志参加了揭碑仪式。

是月，被列为国家"星火计划"科研开发项目的符离集烧鸡软包装，被首都人民大会堂定为特销商品。

是月，《拂晓报》社总编辑邵长富，随中国新闻代表团访问日本。

是月，地区外贸局长、外贸公司经理孙扬秀等一行五人，到日本考察速冻蔬菜的销售情况。

6月27日，我区蕲县化工厂生产的防水冷胶料首批出口斯里兰卡11吨。

7月，泗县劳动模范、三八红旗手周秀兰随中国妇女代表团访问朝鲜。

7月，经地委宣传部同意，以"晚晴诗社"为基础，成立了地区诗词学会和地区诗词楹联学会，省诗词学会名誉会长张恺帆等发来贺电。

8月20日，原台湾联勤总部少将王荫庭来宿县探亲，并要求定居。

8月23日，在全省中年戏曲演员大奖赛中，我区宿县"淮北花鼓戏剧团"演员吕金蝉、吴月玲获一等奖。

8月31日，我区萧县、砀山遭飓风袭击。共刮掉梨和苹果4700多万斤，刮断树木14万多棵，35万亩农作物受损。

9月16日，版画家蔡世明的版画《金秋》入选首届中国艺术节美展。这是在首届中国艺术节、美展、书展中唯一入选的作品。

9月18日，美国、法国、苏联等六国地质科学家，在宿县地区九顶、栏杆、褚兰等地，进行前寒武纪和寒武纪现场地层剖面考察。

9月21日，日本旅游团一行20人，为曾驻屯过宿县等地的侵华日军旧军人，他们到宿城、时村、南坪集等地参观。

10月11日，国家地质矿产部部长朱训来宿区视察工作，与地委书记王某、行署专员吕保成、地委副书记张家宝就萧县山区缺水和奎、濉河污染问题进行了研究，并提出了具体解决办法。

是月，由砀山县广播电台青年业余作者邵家民、丁素云共同创作的电视剧《跑婚》（上下集）由安徽电影制片厂在砀山开拍。

10月中旬，地委书记王某、宿县贡山乡乡长李兴梅赴京参加中共十三届代表大会。

11月27日，全区骤降雨雪，气温连续十余日降至零下10摄氏度左右，全区500多万亩小麦、近90万亩油菜普遍受冻。未及时收获的蔬菜皆被冻坏，致使菜价飞涨，春节后，大白菜竟卖四角多钱一斤，萝卜三角多钱一斤，菠菜每斤一元左右。

12 月，行署常务副专员杨传玺等一行 7 人应邀赴德国参观访问。

12 月 25 日，宿县书法展在合肥开展。省书法界知名人士张恺帆、刘夜烽、李百忍、张建中等出席了开展式。

1988 年

1 月，宿县地区电视台建立。

2 月 26 日，宿县无水酒精厂开始兴建。该厂引进法国斯啤亚姆公司成套设备，采用连续发酵、真空蒸馏技术，生产高蛋白、干酒精等产品，在国内尚属第一家。

4 月，全区颁发居民身份证工作全面开展。全区 300 万名年满 16 周岁的公民，领到根据国家立法而颁发的具有法律效力的个人身份证。

5 月 2—4 日，萧县、砀山、宿县、泗县等 32 个区镇 61 个乡遭受严重的冰雹风灾。据初步统计，各类农作物成灾 72 万亩，其中绝收的 18 万亩，房屋倒塌 2.2 万间，线杆刮倒 1150 根，树木刮倒 27.5 万棵，砸伤 38 人，死亡 1 人，造成直接经济损失 8000 余万元。这次暴风和冰雹是几十年罕见的，灾区风力达 10 级以上，冰雹下了 1 小时之久，大如拳头，小如鸡蛋，最大的 1 公斤多，地面积冰 3 厘米。灾情发生后，地县各级领导深入灾区，组织群众生产自救。

8 月 11 日，全区开始城镇住房制度改革。

1989 年

1 月，电视剧《彭雪枫》在宿州试映。

3 月 28 日，南斯拉夫驻中国大使馆商务参赞留博德拉格·米莱诺维奇和夫人到宿县地区参观访问。主要和有关部门就加强经济合作、联合养鸡等进行商谈。

4 月 13 日，宿县地区被列为黄淮海平原综合开发治理区。开发项目被省批准立项的有 18 个，总投资 9800 万元。

6 月，在法国举办的国际评酒会上，萧县葡萄酒厂生产的双喜牌桂花酒和双喜牌干红葡萄酒，受到外国专家们的较高评价，并获奖牌。

8月，全区所辖5县被列为全国粮食生产基地县：宿县、灵璧被列为全国优质棉、优质烟、出口烟生产基地；砀山县、萧县、泗县被列为全国棉花生产技术推广中心。

9月26日，全区4名全国劳模和2名先进工作者赴京参加全国劳模和先进工作者表彰大会。

10月1日，宿州烈士纪念馆举行开馆典礼。地、县、市党政军领导及社会各界群众1000多人参加。

1990年

2月20-24日，全区农村公路建设在全国交通工作会议上受到表彰。至1989年底，宿县地区农村公路密度位居全国地区之首。

7月1日，第四次全国人口普查在全区全面展开。2万余名普查员分别深入到3294个普查区、15046个调查小区，逐户逐人进行登记。普查工作于7月10日结束。据统计全区总人口为496万，其中宿州市257705人，砀山县765860人，萧县1093626人，宿县1160806人，灵璧县956229人，泗县728743人。

7月3日，宿县地区画家向北京亚运会捐赠书画。在迎亚运基金会举办的"宿县地区向亚运会捐赠书画仪式"上，省书协主席李百忍、地区文联名誉主席梅纯一以及孟繁青等书画家挥笔疾书，向亚运会捐献书画。

7月20日，泗县遭受特大暴雨袭击。从7月18日凌晨1时至20日上午8时，泗县突遇百年罕见的特大暴雨袭击，全县降雨量在200至350毫米之间，全县142万亩农作物，被洪水完全淹没和半淹没的重灾面积达81.8万亩，部分农田成一片汪洋。49个工业企业有27个因暴雨成灾而停产或半停产，直接经济损失达515万元。城乡有700户被洪水围困，倒塌房屋750间，伤亡4人。

9月14日，亚运火炬传递到宿州，交接点火仪式隆重举行。

10月，宿州文庙（今市第一小学）在拆除一座旧房时，在夹皮墙内发现一个大木箱，木箱内装有线装古籍书272本，其中御制《康熙字典》23

本、《春秋·左传》12 本、《清稗史》8 本、《清史·列传》8 本、《周礼·注疏》13 本、《季文忠公全集》43 本等，经省博物馆、省图书馆交流时他们认为抢救及时，有些书籍甚为稀有。现存市文物所。①

11 月 17—19 日，全国农村小学作文研讨会在灵璧召开。参加会议的有来自云南、新疆、黑龙江、广东等 25 个省、市的 720 多名教研教学人员。会议就全国农村小学作文教学的现状和存在的问题进行交流和研讨。大会收到学术论文 100 多篇。

12 月 2—5 日，商业部部长胡平到宿县地区视察。

12 月 13 日，舍己救人的好青年李士华被省政府追认为革命烈士。李士华是宿县紫芦湖乡李寨村人。4 月 18 日上午，他在宿（县）固（镇）公路干活时，在一辆载重汽车就要碾一个 2 岁儿童的千钧一发之际，奋不顾身飞步冲上公路救出儿童，自己却倒在车轮下献出年仅 15 岁的宝贵生命。

12 月，安徽特级酒精总厂伏特加酒出口乌兹别克斯坦。

1991 年

1 月 28 日，上海卢湾区捐赠衣被运抵宿城。为救助灾区，上海市卢湾区开展捐献衣被活动。一个多月时间，捐献衣被 12 万多件，重达 75 吨，上海派车队运往宿县地区。

2 月 5 日，林业部授予宿县地区平原绿化先进单位称号。

3 月 28 日，宿县地区新四军历史研究会成立。大会一致通过《宿县地区新四军历史研究会章程》，通过研究会人员组成名单，推选单劲之为会长。

5 月 27 日，"秦末农民起义 2200 周年学术研讨会"在宿州举行。来自全国 10 个省、市、自治区的 40 多位专家、学者出席会议，并提交论文 20 多篇。与会代表参观考察起义军在宿县大泽乡留下的遗迹涉故台和义军首仗攻克的蕲县古城遗址，并对起义的社会背景、性质、军事行动、失败原

① 原市文物所长谢克仁发表于《宿州电视报》2016 年第 42 期。

因等问题进行广泛深入研讨。

7月7日，纪念"陈胜、吴广农民起义2200年"邮票首发式在宿州举行。

7月11日，解放军三总部救灾药品运抵宿县地区。

9月22日，安徽省政府在宿州举行北京捐赠衣被交接仪式。

9月25日，邮电部、中国有色金属工业总公司、国家海洋局、国务院法制局、国家海洋石油总公司等单位组成的121辆满载198121件过冬衣被的车队到达宿县。

10月，杨传玺同志任宿县地区行政公署专员。

10月14日，安徽省欢送首都党政机关捐献过冬衣被车队返京仪式在宿州举行。9月19日至10月4日，中央党政军机关、北京市及其他省市派出慰问人员5700多人，出动运输车2200多辆、150节火车皮、飞机14架次，运送衣被750多万件，支援安徽省灾区人民。

10月31日，全区纪念新四军第四师暨淮北抗日根据地建立50周年大会在宿州举行。

11月16日，怀洪新河工程开工。地委、行署对做好这项工程非常重视，于1991年10月成立"宿县地区怀洪新河工程指挥部"。全区施工任务分别由宿县、灵璧、泗县、宿州市承担。5期工程完成土方1330万立方米，累计筑堤长约70公里，完成国家投资4822.5万元，工程总投资12.4亿元。宿县地区全段于1995年6月完工，1996年受到省政府通令嘉奖。

1992年

1月22日，由哈萨克斯坦共和国外贸公司第一副总经理乔石娜女士率领的贸易代表团一行15人到宿州考察特酒总厂。

3月31日，宿县地区撤区并乡工作结束，52个区公所全部撤销，原330个乡、镇、街道办事处合并为118个，其中乡39个、镇71个、街道办事处8个。

6月8日，宿县地区合成洗涤剂原料项目合同在芬兰正式签约。这项合同是由中国技术进出口总公司、宿县地区合成洗涤剂原料厂建设指挥部和芬兰雅哥贝利国际公司在中国政府和芬兰政府关于利用芬兰政府贷款协议的签字仪式上签署的。国务院副总理田纪云、外贸部长吴仪和芬兰外贸部部长出席签字仪式。该项目是经国家计委批准利用芬兰政府贷款的安徽省"八五"重点建设项目，总投资 5.9965 亿元，其中利用外资 4908 万美元。

7 月 27 日，经省委、省政府同意，淮北市杜集区孟庄乡的二庄村和牛眠乡的邵庄村划归萧县龙城镇管辖。

8 月 28 日，华夏商社奠基开工。商社是商业部"八五"期间重点工程，占地 1.3 万平方米，总投资 3000 万元，分为商场、宾馆、酒店，集购物、住宿、饮食、娱乐于一体。建成后将成为皖北最大的综合性现代化商业中心。

10 月 15 日，地委、行署表彰参加省"七运会"有功人员。在省"七运会"上，宿县地区运动员获得金牌 39 枚、银牌 35 枚、铜牌 23 枚，获总分 1162 分，打破五项省纪录，总分和金牌总数名列全省第 4 位，并获省体育道德风尚奖，取得运动成绩和精神文明的双丰收。

10 月 27 日，安徽宿州国家粮食储备库举行命名挂牌仪式。该库命名挂牌后，将直接受国家粮食储备局、省粮油食品局共同管理。

10 月，在《农村孩子报》创刊 7 周年、出版 300 期之际，中共安徽省委书记卢荣景为该报题词："开发智力，寓教于乐。"

12 月 3 日，宿县地区举行 1981 年前军队离休干部授勋仪式。

12 月 8 日，中韩合资安徽亚鑫皮革印花有限公司在宿州投资开业。

12 月 1 日，经国务院批准，撤销宿州市、宿县，县市合并，重新组建县级宿州市。

1993 年

2 月 20 日，宿县地区面粉厂动工兴建。该厂占地 20 亩，其中建筑面积 6500 多平方米，总投资 1200 多万元，是安徽省皖北地区规模较大、设备最先进的面粉加工厂。

3 月 10 日，宿县地区合成洗涤剂原料项目正式开工。国家计划委员会瞿友章、胡祖才，安徽省政府副省长汪洋及省直有关厅局负责人骆惠宁等参加开工仪式。

3月，全区城镇住房制度改革方案正式出台。

5月，电视连续剧《西楚霸王》联合摄制协议书在宿城签订。宿县地区剧作家黄孝义、尹洪波创作的10集电视连续剧《西楚霸王》，由上海东华影视公司与宿县地区行政公署联合录制。行署副专员李祥珍代表行署在协议书上签字。

6月，民政部部长多吉才让考察宿县地区民政工作。考察参观萧县皮革厂、萧县化工防腐材料厂等民政福利企业和宿州市符离镇薛庵村的民主管理、依法治村情况。

9月26日，华夏商场举行开业典礼。

10月14日，上海证券交易所异地交易业务在宿州营业。该营业部是地区建行信托投资公司于1991年报经省人民银行批准正式开办的。

1994年

3月下旬，电视连续剧《梨花湾》在砀山开拍。该剧8集，着重反映在中共十一届三中全会前后，地处黄河故道的梨花湾村农民，在对待农机化事业认识上的矛盾、发展和统一的过程。反映农村改革中新一代农民科技意识和致富意识的提高，美好愿望的实现。该剧由长春电视制片厂、行署农机局和砀山县人民政府联合摄制。

3月23—24日，芬兰雅哥贝利国际公司副总裁阿波拉和现场总代表埃乐到宿县地区轻工化学厂实地察看项目建设现场。

5月13日，中央军委副主席张震到宿县地区视察工作，参观彭雪枫纪念馆，与地区党政军领导进行座谈。

8月24日，宿县行署地方税务局、宿县地区国家税务局分别成立，标志着宿县地区两套税务机构分设工作全部完成。

9月10日，地委、行署隆重举行纪念彭雪枫殉国50周年大会。省地主要领导人，彭雪枫的战友林颖以及儿子彭小枫出席大会，杨尚昆、张震、张爱萍等为纪念活动题词。

1995 年

4 月，砀山跻身全国水果总产百强县行列。国家统计局正式公布根据 1993 年指标排序的"中国 100 个水果总产量最高县（市）"，砀山县榜上有名。

7 月 19—20 日，为纪念中国抗日战争和世界反法西斯战争胜利 50 周年，经中宣部批准，由晋、冀、鲁、豫、苏、皖 6 省广播电台联合组成的"抗战老区南北行"大型采访团访问宿县地区，参观雪枫公园，瞻仰抗日名将彭雪枫烈士塑像，并到宿州市百通集团公司采访。

7 月 24 日，萧县妇联代表 58 万萧县妇女向第四次世界妇女大会中国筹委会捐赠百米书画长卷——《百花争妍图》。国务院副秘书长、大会中国组委会副主席兼秘书长徐志坚，全国妇联副主席赵地代表大会组委会接受捐献，并向萧县妇联颁发荣誉证书。

8 月 15 日，地委召开纪念抗战胜利 50 周年大会。地委、行署领导及参加过抗日战争的老同志参加纪念大会。

8 月 18 日，地委、行署召开地直机关机构改革推行国家公务员制度动员大会。宣布《关于宿县地区党政机构改革方案的通知》，明确地区党政机构设置 44 个，比现有的 68 个减少 24 个，地委办事机构设置 7 个，行署办事机构设置 37 个。10 月底完成机构改革工作。

8 月 29 日，江上青烈士铜像在泗县揭幕。江上青曾任中共皖东北特支书记，是皖东北根据地的创建者奠基人。省人大常委会副主任江泽慧，江上青生前战友、卫生部原副部长杨纯，以及省、地、泗县各界代表出席揭幕仪式。

9 月，宿县行署专员、地委副书记杨传玺作序，周道斌主编的《宿县地区志》出版发行。

地委、行署引进"万年新"涂料项目，在地直机关干部中集资，以筹措资金。后来该项目未能建成。干部集资款如数退还。

12 月 18 日，宿东电厂 220 千伏输变电工程竣工投入运营。

12 月，国务院批准砀山县为开放县。

1996 年

1 月 30 日，宿州市、灵璧县被评为全国粮食生产先进市县。

1 月，中共宿县地区纪委监察局被评为"全国纪检监察系统先进集体"。1 月 24 日，地区纪委书记王玉阶赴京参加"全国纪检监察系统先进集体和先进个人"表彰大会，受到党和国家领导人接见。

3 月 4 日，国家环保局批准砀山县为全国首批生态示范区建设试点县。

7 月，世界无国界医生组织比利时分部代表，在省红十字会秘书长杨德普陪同下，分别到宿州市、灵璧县察看灾情。

1997 年

1 月 30 日，砀山县生态示范区建设总体规划通过专家评审。

2 月 25 日，地直干部群众沉痛悼念邓小平逝世。

6 月 7—8 日，全区首次招考国家公务员。全区有 40 个职位（其中地直 35 个，县级 5 个）招考，涉及专业 10 多个，其中以文秘、计算机、财会为主。招考打破地域、身份界限，凡符合国家规定的资格条件的均可报名应考。在报名的 276 人中，外地人占三分之一。

6 月 15 日，为了迎接香港回归，在灵璧县工艺厂以灵璧磬石刻制完成的《中华人民共和国香港特别行政区基本法》巨型碑屏，由中国对外友协赠给香港特别行政区第一届政府。这套石刻长屏每块长 136 厘米、宽 71 厘米、厚 3.2 厘米，总计 100 块，刻字镏金，红木底座，排列总长近 180 米，被中国历史文化研究所定名为"中国最长的名刻条屏"。碑屏为 97 位国内书法家写作，寓意"97 香港回归"，百块碑屏寓意洗雪香港百年国耻。

6 月 18 日，安徽宿州安特集团挂牌成立。

6 月 29 日，中共中央政治局常委、国务院副总理朱镕基到宿县地区考察粮食收购工作。

7 月 16 日，全区出现强降水天气过程。从 16 日 8 时至 21 日 8 时，全区连续出现暴雨天气过程，宿州市为 276.8 毫米，是有历史记录以来日降水量的第二位，造成沱河芦岭段两处决口，煤矿、地方及武警、驻军同心协力，与洪魔搏斗 53 小时，终于堵住决口，化险为夷。

11月1日，萧县乒乓球队13岁的残疾运动员刘美丽参加远东及太平洋地区伤残人乒乓球锦标赛，获 TT9 级女子单打冠军和公开赛单打第三名。

11月，安徽省科苑应用技术开发（集团）股份有限公司成立。其前身是安徽省宿县地区应用技术研究所，以安徽省科苑生物工程有限公司等8家国内公司和一家海外控股公司组建而成的高新技术企业集团，主要从事生物技术、精细化工、食品加工、饲料添加剂、新型建材、机械制造及计算机软件的技术开发、技术推广、工业生产及进出口贸易。

11月22日，宿州汇源发电有限公司三期扩建工程3号机组竣工投产，宣告宿县地区结束长期以来没有较大火力发电的历史。该机组为每小时12.5千瓦火力发电机组。1995年12月18日动工兴建。

11月30日，安徽宿州鸿鹏纺织（集团）有限责任公司创立。该公司的前身是宿州市纺织厂，为宿县地区国有大型企业。该厂于1994年8月因经济实力强、经营状况好被省委、省政府选作现代企业制度的首批试点单位。

1998 年

8月13—16日，宿州、灵璧、泗县三县市中北部普降大到暴雨，局部大暴雨，灾情严重，地委、行署派4个检查组奔赴抗洪救灾第一线。

9月24日，《拂晓报》创刊60周年纪念大会在宿州召开。

10月30日，宿州国家粮食扩建工程动工。该项工程属于国家重点项目建设，扩建计划为1.5亿斤仓容，总投资为4812万元，其中中央财政投资4272万元，地方投资580万元，中央直接派监管人员进驻施工现场，负责监督工程的质量、进度和资金的投入情况。该项工程于1999年9月16日竣工。成为全省第一大粮库。

12月6日，国务院批准设立地级宿州市。撤销宿县地区和县级宿州市，原县级宿州市更名为埇桥区，宿州市下辖萧县、砀山、灵璧、泗县、埇桥区四县一区。

12月20日，连霍高速公路萧县段开工建设。国家两纵两横国道主干线之一的连云港至霍尔果斯高速公路萧县段全长 54 公里，总投资 13.1 亿元。设计标准为全封闭全立交高速公路，设计车速 120 公里/小时，路基顶宽 28 米，路面为沥青混凝土路面，宽 23.5 米，于 2002 年 7 月 1 日建成通车。

是年，灵璧县在全国率先进行城乡电网改造和农用电管理体制改革，实行城乡居民生活用电同网同价。

1999 年

1 月 12 日，全区城镇职工医疗保险制度改革启动。

1 月 28 日，宿州市埇桥区正式揭牌成立。

4 月 27—29 日，中共宿州市委第一次代表大会召开。大会选举产生宿州市委领导成员。书记徐立全，副书记陈树德、孙育海、刘长功，常委：武正宜、姜元、雷光鹏、祝会光、顾秉生、吴贞堂、刘晓云（女）。5 月 16 日，杨传玺任市委副书记。

5 月 18—22 日，宿州市第一届人民代表大会召开。会议选举产生第一届宿州市人大、政府领导。徐立全当选为宿州市人大常委会主任，李祥珍、李永侃、李书坦、孙金道、唐新忠、王敬安、张纶（女）当选为副主任，牛厚勤为秘书长。陈树德当选为市人民政府市长，武正宜、王建、刘统海、李兴民、李晨阳、李卫华当选为副市长。秦隆兴当选为宿州市中级人民法院院长，徐文艾当选为宿州市人民检察院检察长。

5 月 20—22 日，政协宿州市第一届委员会召开。大会选举产生市政协第一届委员会。武秀玲（女）当选为主席，周家富、王彦、孔庆福、陈瑞君当选为副主席，时学爱为秘书长。

5 月 25 日，宿州市正式挂牌成立。

9 月 6 日，国务院外国专家局领导到紫芦湖科技示范园考察验收。紫芦湖科技示范园初步被定为全国农业引智示范基地。

12 月 4—5 日，中共中央政治局常委、国家副主席胡锦涛到萧县考察调研。安徽省委书记回良玉、宿州市委书记徐立全、萧县县委书记胡兴超分别作汇报。徐立全就农村税费改革和计划生育立法问题向胡锦涛提出建议。

12 月 13 日，萧县残疾人乒乓球运动员任桂香在西班牙世界残疾人乒乓球锦标赛上夺得 3 块金牌，成为本次锦标赛上 40 多个国家和地区 200 多名运动员中年龄最小、夺冠最多的队员。

后　记

　　《宿州地域历史大事年表》发起于 2013 年 3 月宿州城市文化研究会成立之时。以主编负责制形式搜集各种资料进行分类筛选，决定以《宿县地区志》《宿县志》（1988 年版）《宿州市志》（1991 年版）为主，辅以周边地方志书和相关史料典籍，由城市文化研究会组织，本人负责，由赵承金执笔编写，由市档案局（馆）、地方志办公室立项汇入《宿州历史文化丛书》出版发行。

　　在本书编写过程中，市档案局（馆）、市城市文化研究会领导都十分重视，经常给予关心和支持，还得到中共宿州市委宣传部、市经济研究会、民建宿州市委员会的无私援助，提供资料和打印经费的帮助，使之顺利完成。同时得到解福来、孟凡敬、宋建国、路巨平、戴兴信、徐友智、孟广实、谢安、杨林、张登高、王彩法等的支持和帮助。

　　市档案局（馆）、地方志办公室王伟、居永立、高磊、柴培华等，在立项、指导和审定、附诸出版方面付出大量心血和帮助，在此一并致以诚挚的谢意。

　　由于史料短缺、编者力量和水平有限，疏漏之处在所难免，恭请读者和方志界专家批评指正。

周道斌

2017 年 5 月于宿州

图书在版编目(CIP)数据

宿州地域历史大事年表/周道斌主编 . —合肥:合肥工业大学出版
社,2017.8
（宿州历史文化丛书）
ISBN 978－7－5650－3534－0

I. ①宿⋯　 Ⅱ. ①周⋯　 Ⅲ. ①宿州—地方史—历史年表　 Ⅳ. ①K295.43

中国版本图书馆 CIP 数据核字(2017)第 219163 号

宿州地域历史大事年表

周道斌　主编　　　　　　　责任编辑　朱移山

出　版	合肥工业大学出版社	版　次	2017 年 8 月第 1 版
地　址	合肥市屯溪路 193 号	印　次	2017 年 11 月第 1 次印刷
邮　编	230009	开　本	710 毫米×1010 毫米　1/16
电　话	人文社科编辑部:0551-62903310	印　张	9.75
	市场营销部:0551-62903198	字　数	140 千字
网　址	www.hfutpress.com.cn	印　刷	合肥添彩包装有限公司
E-mail	hfutpress@163.com	发　行	全国新华书店

ISBN 978－7－5650－3534－0　　　　　　　　定价:28.00 元

如果有影响阅读的印装质量问题,请与出版社市场营销部联系调换。